Au fond des océans

Cet ouvrage a été conçu et réalisé
par Weldon Owen Pty Limited
Copyright © 1995 Weldon Owen Pty Limited
Pour l'édition française : © Éditions Nathan, Paris, 1995

Président : Kevin Weldon
Directeur général : John Owen
Éditeur : Sheena Coupe
Direction éditoriale : Rosemary McDonald
Direction artistique : Sue Burk
Conception : Sylvie Abecassis, Michèle Lichtenberger, Giulietta Pellascio
Coordination recherche iconographique : Esther Beaton
Recherche iconographique : Karen Burgess, Amanda Parsonage
Coordination illustrations : Kathy Gerrard
Directeur de fabrication : Caroline Webber

Texte : Linsay Knight
Conseiller éditorial : Dr Frank H. Talbot, professeur émérite,
Museum national d'histoire naturelle,
Smithsonian Institution, Washington DC, USA.

Adaptation française : Isabelle BOURDIAL

Illustrateurs : Graham Back, Greg Bridges, Simone End,
Christer Eriksson, Mike Golding, Mike Gorman, Richard Hook,
David Kirshner, Alex Lavroff, Colin Newman, Oliver Rennert, Trevor Ruth,
Rod Scott, Steve Seymour, Ray Sim, Kevin Stead

ISBN : 2.09.277 203-1
Numéro d'éditeur : 1 00 46 135

Composition : PFC-Dole
Imprimé en Chine

LES CLÉS DE LA
CONNAISSANCE

Au fond des océans

TRADUCTION ET ADAPTATION

Isabelle Bourdial

NATHAN

Sommaire

Nos océans

Vue de l'espace, la Terre prend une couleur azur. Si on la surnomme « planète bleue », c'est en raison des vastes océans qui couvrent les deux tiers de sa superficie. Il s'agit principalement des océans Pacifique, Atlantique, Indien, Arctique et Austral. Ils ont été formés par des processus géologiques complexes qui continuent d'agir sur la Terre. La surface terrestre est constituée de sept grands blocs appelés plaques lithosphériques (ou tectoniques), qui englobent la croûte et la partie supérieure du manteau de la Terre. Il y a des millions d'années, ces plaques ne faisaient qu'une. Aujourd'hui elles se déplacent constamment, très lentement, sur une couche de roches fluides, l'asthénosphère, qui se situe juste sous la croûte terrestre. Lorsque deux plaques s'écartent, de la roche en fusion, le magma, s'écoule entre elles pour former un nouveau plancher océanique. Un bassin océanique va ainsi s'agrandir en plusieurs millions d'années. Il y a cinq millions d'années, la mer Rouge était une toute petite cuvette. Aujourd'hui, en observant la croissance de son plancher, les scientifiques estiment qu'un nouvel océan est en train de naître.

AU COMMENCEMENT
Il y a 250 millions d'années, la Terre ne possédait qu'un unique et gigantesque continent, la Pangée. Mais on ne sait pas très bien ce qu'il y avait avant.

LA PANGÉE SE FRACTIONNE
Voilà 130 à 200 millions d'années, le supercontinent se brisait en blocs.

LE SAVAIS-TU ?
Alfred Wegener est un scientifique allemand qui vécut entre 1880 et 1930. Il fut le premier à suggérer l'existence très ancienne d'un supercontinent.

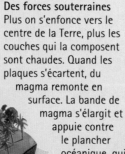

Des forces souterraines
Plus on s'enfonce vers le centre de la Terre, plus les couches qui la composent sont chaudes. Quand les plaques s'écartent, du magma remonte en surface. La bande de magma s'élargit et appuie contre le plancher océanique, qui forme alors des bourrelets de croûte, poussant le sol de part et d'autre des dorsales.

L'EXTENSION DE LA MER ROUGE

Les plaques d'Afrique et d'Arabie commencèrent à bouger il y a plus de cinq millions d'années. Ce mouvement se poursuit à raison d'un centimètre par an, ce qui entraîne l'accroissement lent du bassin de la mer Rouge. Le spationaute Eugene Cernan a photographié l'Afrique et la péninsule Arabique lors du voyage d'Apollo 17 vers la Lune en 1972. L'entaille que tu peux voir dans la croûte continentale est la Grande Vallée du Rift. Elle s'étend de la vallée Jordan et de la mer Morte, au nord, jusqu'à l'Afrique de l'Est. Elle a été provoquée par le mouvement des plaques.

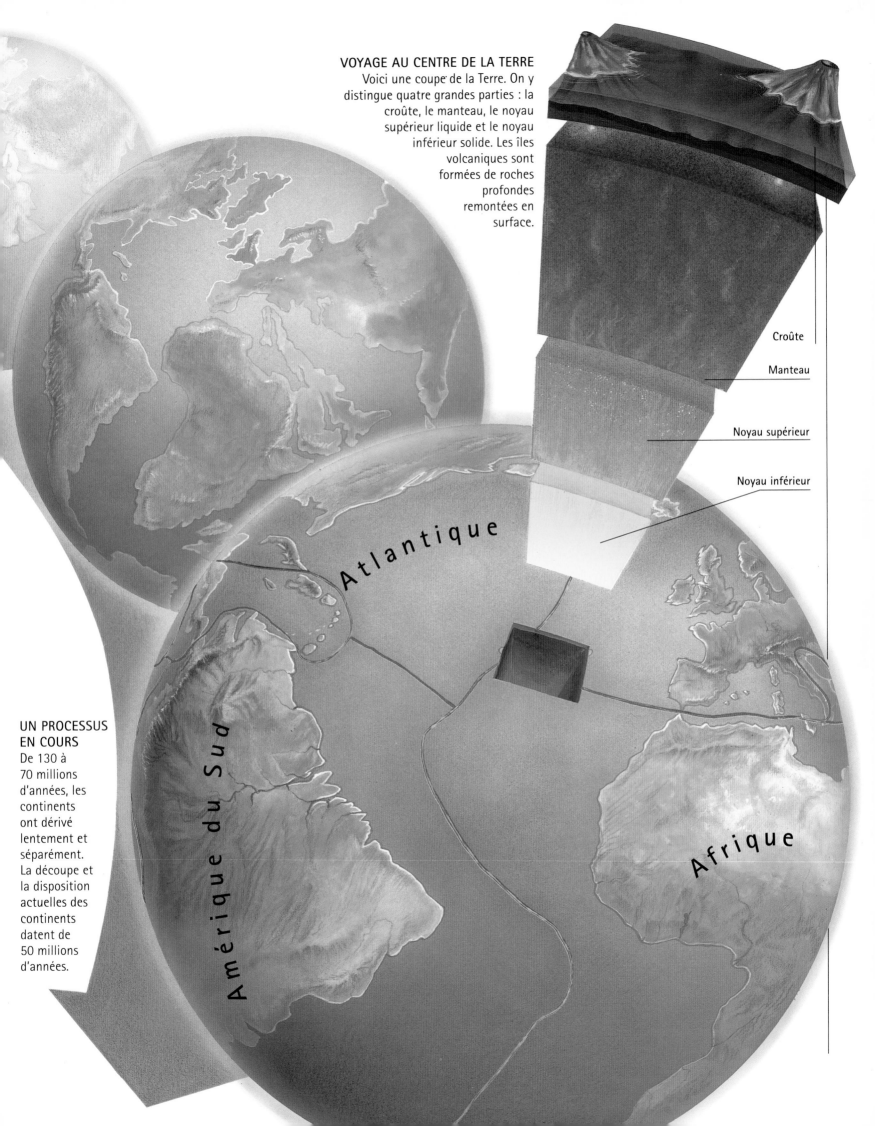

VOYAGE AU CENTRE DE LA TERRE
Voici une coupe de la Terre. On y distingue quatre grandes parties : la croûte, le manteau, le noyau supérieur liquide et le noyau inférieur solide. Les îles volcaniques sont formées de roches profondes remontées en surface.

Croûte

Manteau

Noyau supérieur

Noyau inférieur

Atlantique

Afrique

Amérique du Sud

UN PROCESSUS EN COURS
De 130 à 70 millions d'années, les continents ont dérivé lentement et séparément. La découpe et la disposition actuelles des continents datent de 50 millions d'années.

Le plancher des mers

Imagine qu'il n'y ait plus d'eau dans les océans. Tu distinguerais sur le fond marin des montagnes immenses et de profondes vallées, des versants et des plaines, des fosses et des crêtes étonnamment similaires aux paysages continentaux. Des vaisseaux et des équipements modernes ont permis l'exploration de ces zones cachées. Entre 1968 et 1975, l'engin submersible *Glomar Challenge* fora plus de 400 trous dans le lit de la mer et récolta des échantillons de roche. Grâce à ces travaux, les scientifiques purent détailler les moindres traits du plateau continental, plate-forme large et peu profonde dans le prolongement du continent, qui a plusieurs fois émergé par le passé. La pente continentale qui lui succède fut aussi mieux connue ; c'est un talus de faible déclivité, qui constitue une zone de transition entre le continent et le bassin océanique.

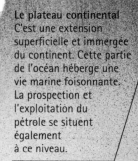

Le plateau continental
C'est une extension superficielle et immergée du continent. Cette partie de l'océan héberge une vie marine foisonnante. La prospection et l'exploitation du pétrole se situent également à ce niveau.

La pente continentale
Il s'agit de terres immergées en pente douce, situées près des côtes. Plateau et pente constituent ce que l'on appelle la marge continentale.

VOYAGE DANS LES PROFONDEURS
Le scaphandrier, relié à son vaisseau par un cordon ombilical, ressemble à un spationaute.

INSTRUMENTS DE RECHERCHE
Pour comprendre comment ces paysages marins se sont constitués, les scientifiques collectent et analysent des échantillons et recueillent toutes sortes de données sur les grandes profondeurs. Ils utilisent des instruments comme le bathythermographe qui mesure la température des différentes couches d'eau et la drague fermante qui prélève de petits échantillons de sable et de sédiment.

Drague fermante

Bathythermographe

POSE DE CÂBLE TÉLÉPHONIQUE
Un plongeur et un poseur de câble sous-marin installent des câbles téléphoniques sur le plateau continental.

PILLOW LAVA
Les gaz chauds et le magma qui s'épanchent sur les fonds marins se solidifient en prenant de drôles de formes. Ces coussinets de lave pétrifiée sont des pillow lava. Ils se sont formés près des îles Galapagos.

Montagnes des mers
La plupart des volcans sous-marins sont complètement immergés. Ceux qui atteignent la surface de l'eau forment des îles.

Guyots
Ce sont des volcans à sommet aplati.

VOIR AVEC LES SONS

Cette carte des fonds marins du récif australien de la Grande Barrière de corail montre une section de 30 km. Elle a été produite par Gloria. Cet instrument de cartographie envoie des ondes sonores qui sont réfléchies sur le fond, et en recueille l'écho.

GLORIA
Cet instrument est relié au vaisseau «mère» par un câble conducteur. Il peut être installé à une profondeur de 50 m.

Plaines abyssales
Elles comptent parmi les espaces les plus plats de la Terre et s'étendent depuis le rebord des continents jusqu'aux dorsales.

Dorsale océanique
Longue crête médio-océanique par laquelle suintent les laves pour former de la nouvelle croûte terrestre.

Fosse océanique
C'est une longue vallée étroite qui se forme généralement près des îles ou des chaînes de montagnes côtières.

LE SAVAIS-TU ?

Les fosses marines les plus profondes contiendraient facilement les plus hauts sommets terrestres.

Remous marins

L'océan est toujours en mouvement. Sa surface peut être aussi lisse qu'un miroir ou au contraire déchaînée par la houle. La plupart des vagues sont engendrées par le vent. Les vagues qu'entraîne un cyclone tropical peuvent dépasser 14 m de hauteur. Elles peuvent aussi être provoquées par une éruption volcanique ou un tremblement de terre sous-marins : on les appelle alors des tsunamis. Ce sont d'énormes colonnes d'eau qui peuvent franchir de grandes distances à une vitesse de l'ordre de 800 km/h. La surface des océans peut aussi être modifiée par la collision des courants. Aux changements de marée, des courants opposés s'affrontent et peuvent créer un tourbillon. L'un des plus célèbres est le redoutable Maelström, au large de la Norvège. Le vacarme que font ses rouleaux fracassants peut être entendu à 5 km de distance.

VENTS TOURBILLONNANTS

Une trombe est une colonne d'air tourbillonnant dans une gerbe d'embruns. Proche de la tornade, elle se forme lorsque de l'air humide, chaud et ascendant rencontre de l'air froid et sec. Parfois, elle happe des bancs de poissons qu'elle transporte dans les airs sur plusieurs kilomètres. Les trombes durent rarement plus d'une heure. Même si elles sont spectaculaires, elles causent peu de dégâts sérieux.

MUR D'EAU

La population vivant sur le littoral peut être affectée par les raz-de-marée. Imagine l'effrayante vision d'un immense mur d'eau se dressant devant toi. L'impact d'une telle vague peut détruire une ville entière. Voilà plusieurs milliers d'années, un morceau de Mauna Loa, une des îles volcaniques d'Hawaii, s'est effondré dans la mer. Ce glissement de terrain a produit un tsunami qui s'est déplacé jusqu'à l'île voisine, Lanai, et a atteint une hauteur de 280 m. Si un tel événement se produisait aujourd'hui, toutes les zones côtières de l'archipel seraient touchées. Des vagues de 30 m déferleraient sur la ville d'Honolulu.

UNE FORCE DÉVASTATRICE

Un cyclone peut engendrer des vents de force 12 sur l'échelle de Beaufort et mesurer 645 km de diamètre. Cette photographie du cyclone Elena a été prise par la navette *Discovery*.

TEMPÊTE À DISTANCE

Cette image colorée d'une grosse perturbation dans la mer de Behring a été prise depuis l'espace, par satellite.

L'ÉCHELLE DE BEAUFORT

Cette échelle utilise les nombres de 0 à 12 pour mesurer la force du vent sur la mer. Zéro correspond au calme plat. À 6, il y a une forte brise et des vagues de 3 m. À 12, l'ouragan fait rage et les vagues dépassent 14 m.

Force 2

Force 8

Force 12

Courants et marées

Les courants océaniques sont de grosses masses d'eau qui franchissent de longues distances sur les océans du globe. Le vent est la principale force qui les engendre. On dénombre sept courants principaux et des centaines d'autres de moindre importance. Ils se déplacent comme de longs fleuves qui tourneraient en rond à l'allure d'un piéton (1 à 5 nœuds). Dans l'hémisphère Nord, les courants se déplacent dans le sens des aiguilles d'une montre et en sens inverse dans l'hémisphère Sud. Les vents poussent les courants chauds ou froids le long du littoral, ce qui modifie diversement le climat des continents. Le Gulf Stream, par exemple, est un courant qui transporte de l'eau chaude depuis la mer des Caraïbes et la côte Est des États-Unis jusqu'à la côte Ouest de la Grande-Bretagne et de l'Europe du Nord. Sans le Gulf Stream, ces zones seraient bien plus froides. Les océans sont également influencés par l'attraction de la Lune et du Soleil. C'est cette attraction qui génère les marées. Chaque jour, le niveau de la mer monte et descend deux fois. Six heures séparent la marée haute de la marée basse. La zone comprise entre les deux niveaux est la zone intertidale. Les plus hautes marées se produisent dans les baies et les estuaires. Dans la baie de Fundy, au Canada, la marée atteint 19 m : l'amplitude la plus élevée du monde. Le Mont-Saint-Michel vient juste derrière avec 15 m. Ailleurs, l'amplitude moyenne ne dépasse généralement pas quelques mètres et seulement quelques dizaines de centimètres en Méditerranée.

L'INFLUENCE DE LA LUNE
La Lune et le Soleil génèrent les marées mais c'est parce que la Lune est bien plus proche de la Terre que le Soleil, que son attraction sur les mers est plus grande. Les eaux des océans situés sur la face terrestre exposée à la Lune sont les plus soumises à cette influence ; la marée y est haute. Les mers situées de l'autre côté de la planète subissent aussi cette attraction et connaissent une marée haute, quoique plus modeste.

MARÉES PARTICULIÈRES

Les grandes marées ont lieu lorsque la Terre, la Lune et le Soleil sont alignés. Ce sont les marées de vive-eau. Quand le Soleil et la Lune forment un angle droit avec notre planète, leur attraction combinée se contrarie et l'amplitude des marées – la zone intertidale- est à son minima. Ce sont les marées de morte-eau. Marées de vive-eau et de morte-eau se produisent deux fois par mois.

Marée de vive-eau

Soleil

Pleine Lune/ Nouvelle Lune

Marée de morte-eau

Demi-lune

Soleil

DES BOUTEILLES À LA MER
En 1977, Nigel Wace jeta par-dessus bord vingt bouteilles de vin depuis un bateau naviguant entre l'Amérique du Sud et l'Antarctique. Il voulait essayer de découvrir à quelle distance et à quelle vitesse elles allaient voyager. La plupart des bouteilles mirent deux ans pour dériver jusqu'à l'ouest de l'Australie et près de trois ans pour rejoindre la Nouvelle-Zélande. D'autres gagnèrent l'Afrique du Sud, les Seychelles et l'île de Pâques. Wace avoua toutefois qu'il ne recommencerait pas semblable expérience, la mer étant déjà suffisamment envahie de détritus

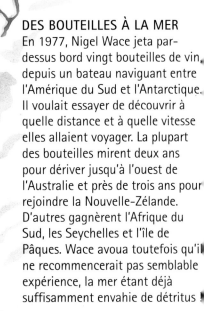

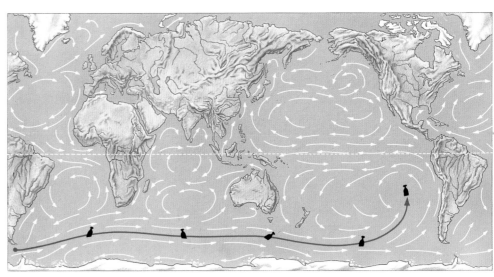

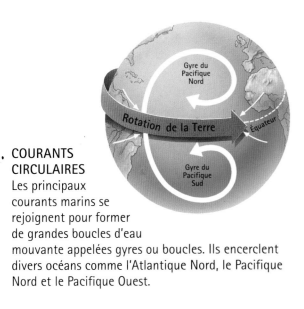

COURANTS CIRCULAIRES

Les principaux courants marins se rejoignent pour former de grandes boucles d'eau mouvante appelées gyres ou boucles. Ils encerclent divers océans comme l'Atlantique Nord, le Pacifique Nord et le Pacifique Ouest.

CE QUI DÉVIE LES COURANTS

Sous les Tropiques, des vents violents poussent les courants vers l'Équateur. Au-delà des Tropiques, des vents d'ouest dévient les courants vers l'est. Quand ils touchent les continents, les courants changent également de direction. La rotation de la terre influence aussi leur direction : ceux de l'hémisphère Nord sont poussés vers la droite, ceux de l'hémisphère Sud vers la gauche. Ce phénomène s'appelle l'effet de Coriolis.

ÉTONNANT MAIS VRAI

Lorsque 80 000 chaussures de sport ont sombré dans la mer entre la Corée du Sud et la ville de Seattle, Curtis Ebbesmeyer a suivi leur trajectoire pour mieux connaître les courants. Elles ont débarqué sur la côte Ouest des États-Unis un an plus tard.

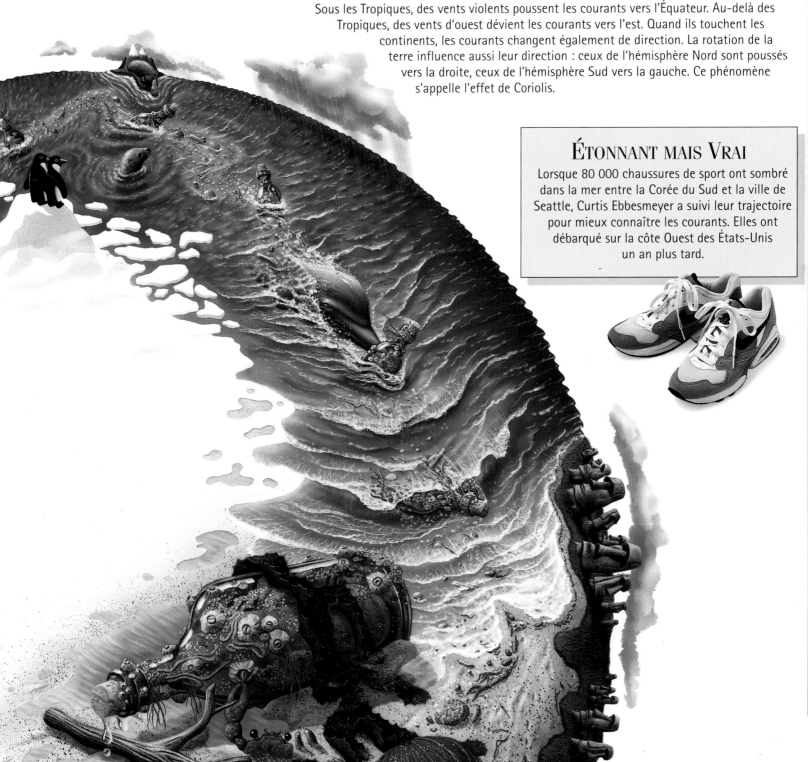

MANGROVES
Elles apprécient indifféremment les eaux douces ou salées et se développent très bien sur le rivage des estuaires. Elles poussent dans un sol gorgé d'eau ; aussi leurs racines se développent à l'air pour absorber de l'oxygène.

Quand la rivière rencontre la mer

L'eau douce des rivières se mêle à l'eau salée des mers dans un estuaire, zone de transition entre les deux milieux. Les estuaires attirent de nombreuses formes de vie. Les saumons les franchissent pour pondre dans la rivière avant de revenir en mer. De frêles alevins trouvent refuge dans le tapis d'herbes marines qui s'y développe. À marée basse, des oiseaux pataugent dans la vase et se régalent des vers et des crabes qui y abondent. Les gens viennent pêcher ou récolter des coquillages et des crustacés. Certains fleuves se divisent en bras juste avant de se jeter dans la mer. Les sédiments qu'ils charrient se déposent à l'embouchure du cours d'eau, créant un paysage envasé d'îles et de petites rivières : le delta. C'est parce que la marée monte dans le delta que le sol est salé et humide en permanence ; ces marais verdoyants sont propices à l'agriculture.

UN MILIEU PROLIFIQUE
Oiseaux aquatiques, insectes, vers, crustacés, crabes, poissons et plantes se partagent le riche environnement de l'estuaire, où la nourriture ne fait jamais défaut.

VUE D'EN HAUT

L'eau douce de la rivière pénètre dans un estuaire abrité où elle se mélange avec l'eau salée de la mer.

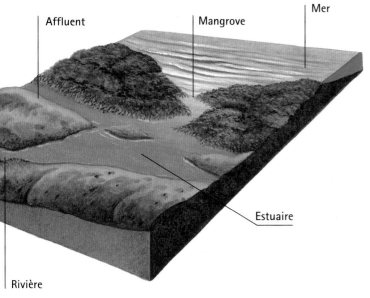

Affluent

Mangrove

Mer

Estuaire

Rivière

LE CYCLE DE LA MOULE

Les moules commencent leur vie sous forme de larves libres. Elles possèdent des sortes de cils qui leur permettent de se déplacer dans l'eau. Lorsque les moules grandissent, elles fabriquent une coquille bivalve, dont les deux pièces sont reliées entre elles par une sorte de charnière. La coquille est fixée au rocher par des filaments (le byssus), mais certaines espèces s'enfouissent dans le sable.

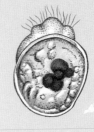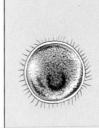

Larve primaire

Larve développée

Moule adulte

LE POISSON-ARCHER

Ce poisson chasse les insectes situés dans le feuillage en leur décochant un puissant jet d'eau. Dès qu'ils tombent, il ne reste plus qu'à les manger.

LES PALOURDES

De nombreuses variétés de palourdes sont comestibles, mais tu auras des difficultés à trouver celles qui s'enfouissent.

POISSONS-TAILLEURS

Ces poissons bleus sont surnommés poissons-tailleurs parce que leurs dents sont aussi coupantes que les ciseaux d'un tailleur. Les jeunes sont très recherchés par ceux qui pêchent pour le sport.

ESCARGOTS

Ces escargots aquatiques ont une coquille en spirale très allongée. Ils sont apparentés à l'escargot de nos jardins.

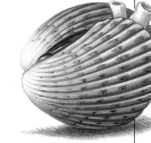

FANTÔMES À PINCES

Ces petits décapodes rosés s'enfoncent dans la vase et pincent quiconque essaie de les saisir.

HIPPOCAMPE

Ce poisson peu banal nage en position verticale, en utilisant ses nageoires dorsales.

15

Le bord de mer

L e bord de mer est le lieu d'habitat de nombreux animaux. Des centaines de crabes patrouillent les plages de sable et cachent dans les cuvettes rocheuses, à la recherche de petit lambeaux de nourriture. Crustacés et mollusques ont des carapaces des coquilles pour se protéger des oiseaux, des brûlures du Soleil et la violence des vagues. Les puces de mer (ou talitres) se nourrissent de plantes en décomposition, en particulier des algues échouées sur la plage. Les oursins broutent des végétaux et de petits animaux sur les rochers. Les étoiles de mer se nourrissent de coraux, de mollusques et de crustacés. Les récifs coralliens fournissent le gîte et le couvert à d'autres animaux du littoral. Certains poissons se sont adaptés à la vie près du rivage. La vive se cache dans le sable, prête à dévorer le moindre petit poisson ou crabe passant à sa portée.

Bouquet mortel
Les anémones sont ancrées par leur base. Leurs tentacules se contractent lorqu'un poisson les frôle. Ils paralysent leur proie et l'introduisent dans la bouche grande ouverte de l'anémone.

À L'INTÉRIEUR DE L'ÉTOILE DE MER

L a partie centrale de l'étoile de mer contient son estomac. L'anus se situe au-dessus et la bouche en dessous ; des canaux contenant de l'eau, des ramifications nerveuses et intestinales se répartissent dans les cinq bras de l'étoile. Si un bras est sectionné, un nouveau bras repousse en quelques semaines. L'étoile pompe et rejette de l'eau par ses nombreux pieds ambulacraires ou podia. Lorsque la pression de l'eau s'accroît, les pieds s'allongent et se courbent. Cette action permet à l'étoile de se mouvoir. Chaque pied se termine par une ventouse, dont l'étoile use pour grimper sur les rochers et ouvrir un coquillage.

L'eau entre ici

Canaux pompant l'eau

Pieds tubulaires

Le Garibaldi
Le mâle, orange vif, cherche activement de petites crevasses dans les récifs. La femelle Garibaldi, en effet, fraie avec le poisson qui détient le meilleur site de ponte.

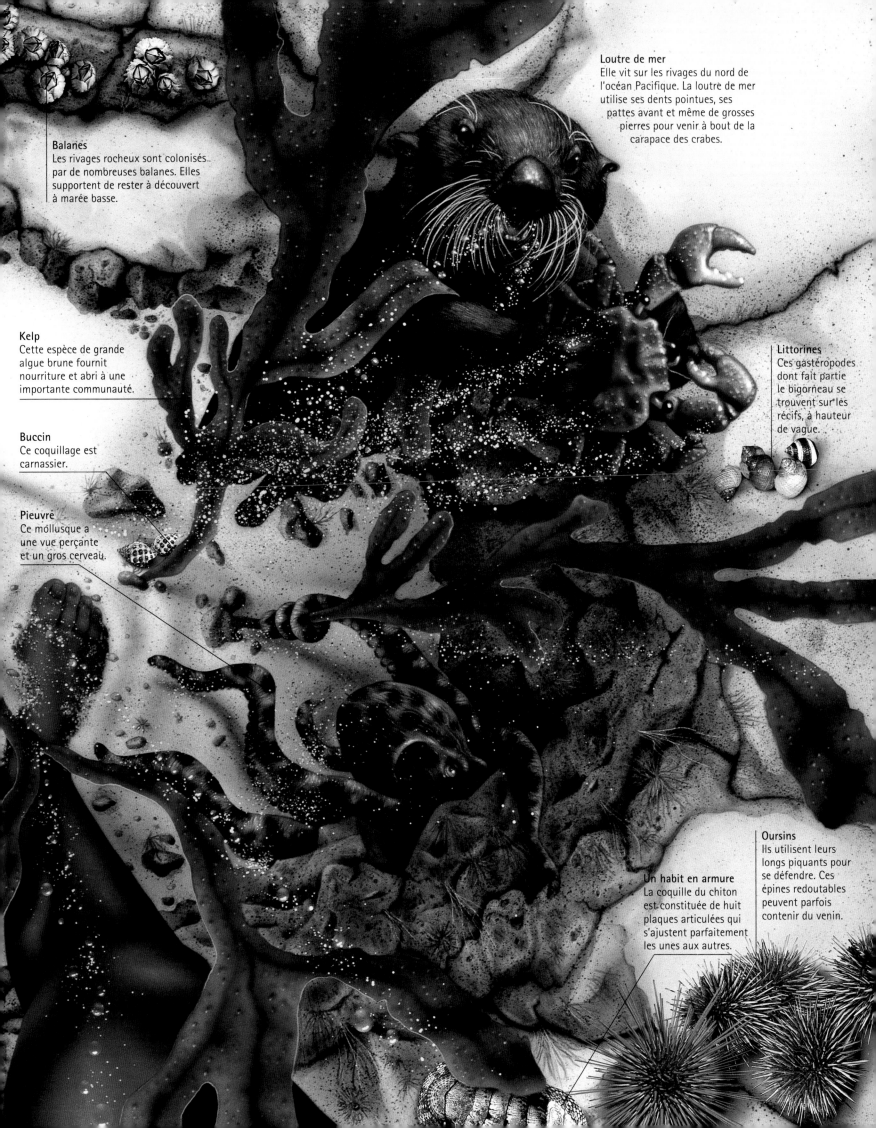

Loutre de mer
Elle vit sur les rivages du nord de l'océan Pacifique. La loutre de mer utilise ses dents pointues, ses pattes avant et même de grosses pierres pour venir à bout de la carapace des crabes.

Balanes
Les rivages rocheux sont colonisés par de nombreuses balanes. Elles supportent de rester à découvert à marée basse.

Kelp
Cette espèce de grande algue brune fournit nourriture et abri à une importante communauté.

Buccin
Ce coquillage est carnassier.

Pieuvre
Ce mollusque a une vue perçante et un gros cerveau.

Littorines
Ces gastéropodes dont fait partie le bigorneau se trouvent sur les récifs, à hauteur de vague.

Un habit en armure
La coquille du chiton est constituée de huit plaques articulées qui s'ajustent parfaitement les unes aux autres.

Oursins
Ils utilisent leurs longs piquants pour se défendre. Ces épines redoutables peuvent parfois contenir du venin.

Les eaux côtières

Ce sont les eaux les plus productives de l'océan. Les eaux du littoral fourmillent de vie et sont très fréquentées pour la pêche à la ligne, au filet et au chalut. La plupart des poissons et des crustacés que nous consommons proviennent de ces eaux superficielles, qui s'étendent jusqu'à 60 m de profondeur. Elles bordent les continents et les îles. On y trouve du plancton, composé d'animaux et de végétaux pour la plupart microscopiques, se laissant dériver. Ce plancton réfléchit les rayons bleus et jaunes du Soleil, ce qui fait paraître l'eau verte. Les poissons très rapides comme les vivaneaux queues jaunes, les poissons bleus, les bars et quelques espèces de thons chassent les petits maquereaux, les sardines et les harengs près des côtes. Les baleines à bosse mettent bas dans les eaux côtières chaudes, et poussent leur nouveau-né près de la surface pour qu'ils prennent leur première respiration.

Coquille

Loge

Gonades

NAUTILE NAUTIQUE
Le nautile vit dans une coquille dotée de chambres, ou loges. L'animal contrôle gaz et fluide dans ces compartiments pour modifier sa flottabilité.

Œil

Bec

Tentacules

Entonnoir

Branchies

UNE NACELLE POUR LES ŒUFS D'ARGONAUTE
L'argonaute possède une coquille provisoire d'une grande beauté, fabriquée par la femelle pour abriter ses œufs. Les œufs ci-contre ont été retirés de cette nacelle de calcaire gaufrée, fine et transparente comme du papier.

SERPENTS DE MER
Ce serpent de mer a une queue en forme de pagaie qui l'aide à se propulser dans l'eau. Grâce aux écailles de son ventre, il rampe sur la terre ferme pour se reproduire et pondre ses œufs.

18

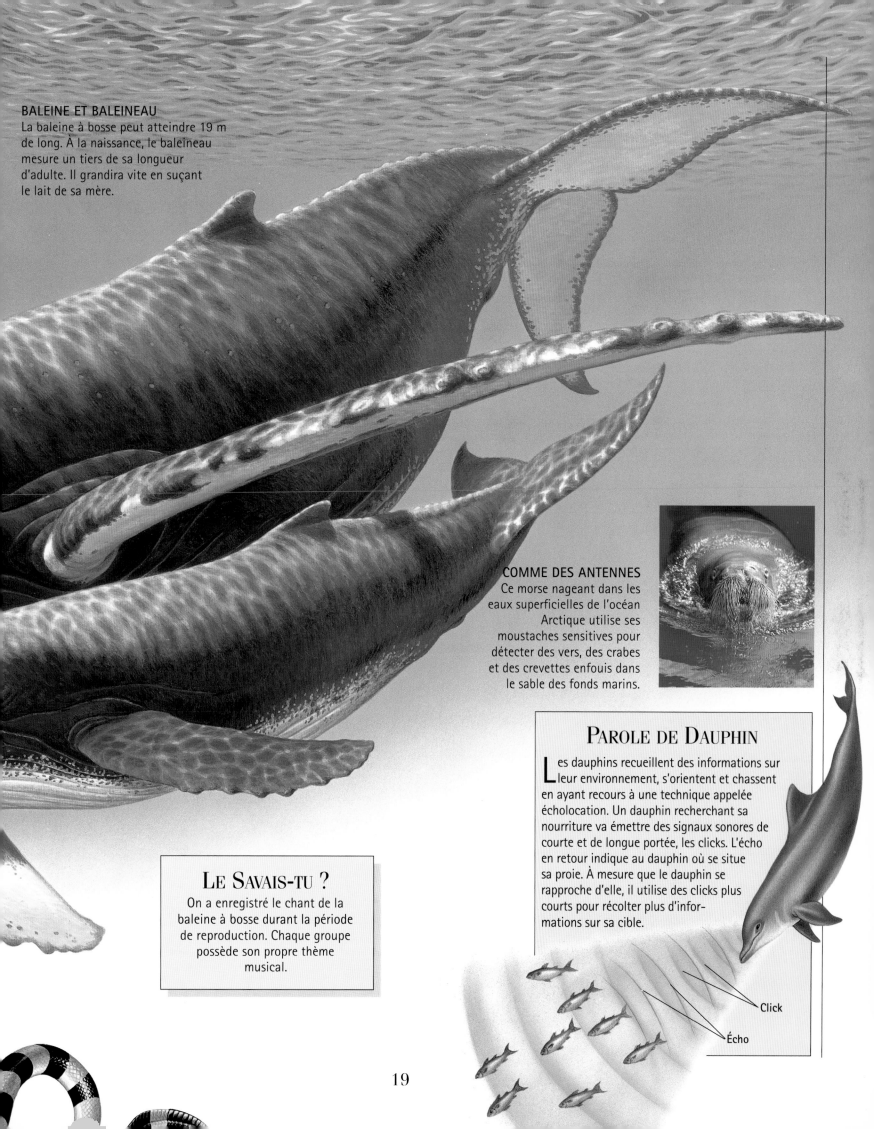

BALEINE ET BALEINEAU
La baleine à bosse peut atteindre 19 m
de long. À la naissance, le baleineau
mesure un tiers de sa longueur
d'adulte. Il grandira vite en suçant
le lait de sa mère.

COMME DES ANTENNES
Ce morse nageant dans les
eaux superficielles de l'océan
Arctique utilise ses
moustaches sensitives pour
détecter des vers, des crabes
et des crevettes enfouis dans
le sable des fonds marins.

LE SAVAIS-TU ?
On a enregistré le chant de la
baleine à bosse durant la période
de reproduction. Chaque groupe
possède son propre thème
musical.

PAROLE DE DAUPHIN

Les dauphins recueillent des informations sur
leur environnement, s'orientent et chassent
en ayant recours à une technique appelée
écholocation. Un dauphin recherchant sa
nourriture va émettre des signaux sonores de
courte et de longue portée, les clicks. L'écho
en retour indique au dauphin où se situe
sa proie. À mesure que le dauphin se
rapproche d'elle, il utilise des clicks plus
courts pour récolter plus d'informations sur sa cible.

Click

Écho

19

Les récifs coralliens

D es poissons aux couleurs vives et des milliers d'autres créatures marines vivent dans les abris des récifs coralliens. Ces maisons marines poussent dans des eaux chaudes superficielles et sont bâties par une colonie animale qui constitue le corail – les polypes. Ils possèdent un corps mou et une bouche coiffée de tentacules urticants. Les polypes édifient autour d'eux des squelettes de calcaire en forme de dé à coudre. Lorsqu'ils poussent en hauteur, ils se ramifient et abandonnent la partie basse de ces squelettes agglomérés qui constituent la base du récif de corail. Chaque polype contient des cellules végétales qui synthétisent de la matière organique en utilisant la lumière solaire, l'eau et le dioxyde de carbone (ce processus porte le nom de photosynthèse). Le corail attrape lui-même ses aliments au moyen de ses tentacules urticants.

ENTRAIDE
Dans les récifs coralliens, le poisson-clown vit au milieu des tentacules de l'anémone, hors d'atteinte de ses ennemis. En échange, il rabat des proies vers sa logeuse, dont il finit les restes. Pour se protéger, il s'enduit d'un mucus sécrété par l'anémone.

CHERCHEUR DE CORAIL
Les récifs de corail, comme celui de l'île Taveuni dans le Pacifique, attirent les plongeurs du monde entier. Mais ces milieux, très fragiles, sont affectés par l'exploitation ou la simple fréquentation par l'homme.

LES COMMUNAUTÉS CORALLIENNES
Plusieurs cnidaires tels que les gorgones, les méandrines, les fungias et les coraux de feu poussent souvent ensemble. Ils vivent en compagnie des poissons rouges, des bénitiers, des poissons chirurgiens et autres habitants des mers tropicales...

PONTE DE CORAIL
Certains coraux rejettent œufs et sperme
et la fécondation a lieu dans l'eau. Chez d'autres
espèces, les œufs sont fécondés à l'intérieur
du polype.

GROS PLAN SUR LES POLYPES
Ces petits animaux ténus forment des
colonies de corail de toutes les formes et
de toutes les couleurs. Les plantes qui
vivent dans leurs tissus les aident à
synthétiser leur squelette en calcaire.

Tentacules

Bouche

DES MAISONS
BONDÉES
Crustacés, poissons,
oursins et mollusques
comptent parmi les
habitants des récifs
coralliens.

Poisson papillon

LE DRAGON DE MER FEUILLU
C'est une variété d'hippocampe. Les rabats de peau qui ressemblent à des feuilles l'aident à se fondre dans les frondes de kelp.

Camouflage

Le monde sous-marin est rempli de dangers. Les créatures de la mer usent souvent de mimétisme pour se cacher de leurs ennemis naturels. Tel poisson adopte la couleur de son environnement, tel autre prend l'apparence d'une plante aquatique, un troisième est complètement transparent et quasiment invisible tandis que d'autres s'enfouissent dans le sable. Les crabes sont experts en déguisement. Certains ornent leur carapace d'algues, d'autres y ajoutent des éponges. Le camouflage du poisson-papillon (voir ci-contre) est particulièrement ingénieux : ses yeux minuscules sont situés sur une bande sombre verticale. Mais près de sa queue, il exhibe une grosse tache noire en forme d'œil. La présence des deux types d'yeux trouble les ennemis du poisson-papillon. Où est l'avant, où est l'arrière ?

COMME UNE PIERRE
Ce poisson-pierre pourpre est parfaitement assorti aux rochers recouverts de corail. Il possède des épines acérées qui peuvent injecter un poison mortel.

TAPI DANS L'OMBRE
Complètement intégré au décor d'éponges et de coraux, le poisson-scorpion attend sa proie, poisson ou crustacé, qui s'aventurera à proximité de ses mâchoires.

ŒIL ESPION
Certains animaux échappent à leurs ennemis en se cachant dans le sable. Seuls dépassent deux gros yeux globuleux qui semblent taillés dans le roc.

22

VOIR À TRAVERS LES CREVETTES
Vois-tu la crevette qui figure sur cette photo ?
Elle est complètement transparente à l'exception
de quelques marques rouges. Elle vit au milieu
de chatoyantes anémones.

COUVERT DE COULEURS
La couleur est primordiale dans le camouflage. La pieuvre et le calamar possèdent dans leur peau de petits sacs remplis de pigments colorés. Lorsque ces sacs sont étendus, la peau devient foncée; lorsqu'ils sont contractés, l'animal est blanc. Ces sacs peuvent être tour à tour étalés ou ramassés sur eux-mêmes dans chaque partie du corps. Ces animaux peuvent ainsi changer de couleur.

ALERTE ROUGE
Un poisson-faucon se camoufle en allant et venant au milieu du corail rouge.

ASPIRÉ !
Les formes et les couleurs du syngnathe rappellent celles du kelp et du corail. Il se nourrit en aspirant ses proies dans sa petite bouche.

MOBILE HOME
Le bernard-l'ermite s'approprie la coquille d'un mollusque. Lorsqu'il grandit, il abandonne sa maison pour en trouver une plus spacieuse.

L'ANTARCTIQUE

Cet immense continent recouvert de glace qui englobe le pôle Sud est l'endroit le plus froid de la Terre. La température ne se rapproche de zéro degré qu'en été. Cet océan est toutefois riche en animaux et en végétaux qui nourrissent de nombreux oiseaux, des phoques et des baleines.

ÉTONNANT MAIS VRAI

Le bien nommé poisson des glaces vit dans les eaux polaires. Tandis que le sang de la plupart des poissons gèle à –35 °C, celui du poisson des glaces possède une substance chimique qui joue le rôle d'un antigel.

LES MANCHOTS EMPEREURS

Ce sont les plus grands et les plus colorés de tous les manchots. Ils se déplacent généralement debout, mais peuvent aussi glisser sur la neige, allongés sur le ventre, en s'aidant de leurs pattes.

VAINQUEUR HAUT LA MAIN

Le phoque de Weddel détient le record de plongée en eau profonde auprès des autres phoques. Il peut plonger à 600 m et rester sous l'eau plus d'une heure sans respirer.

• LA VIE DANS LA MER •

Les mers polaires

Les mers glacées des régions polaires sont les plus froides de notre planète. L'océan Arctique, autour du pôle Nord, est en partie recouvert d'une calotte de glace et de morceaux de glace flottants, les icebergs. Certains animaux vivent nulle part ailleurs, comme les ours polaires, les phoques barbus et les phoques à capuchon. L'océan Austral, autour du pôle Sud, encercle l'immense continent Antarctique. Des pinnipèdes comme le phoque crabier, l'éléphant de mer ou le phoque léopard partagent ces eaux australes avec seize différentes espèces de manchots. Aux pôles, l'hiver est long, sombre et glacial. Certains animaux polaires migrent, mais la plupart s'adaptent à ces conditions très rudes en développant leur plumage ou une fourrure épaisse. D'autres disposent de couches de graisse qui les protègent du froid. De riches courants marins apportent des nutriments des profondeurs de l'océan qui aident le plancton à se développer. Celui-ci est à son tour mangé par le krill.

LE SOMMET DE L'ICEBERG

L'océan Austral est rempli d'icebergs qui se sont détachés des glaciers. À peu près 90 % de l'iceberg est immergé. Les immenses montagnes qui émergent de l'eau constituent seulement le sommet de gigantesques structures.

LE MACAREUX
Une prise savoureuse
pend du curieux bec
du macareux.

ATTAQUE
Un ours polaire affamé brise la glace
d'un coup de patte et saisit le bébé
béluga qui nageait en dessous. Les griffes
et les dents de l'ours agissent comme un
harpon. Les scientifiques ont récemment
découvert que les ours blancs mordent ou éraflent
l'évent des cétacés pour qu'ils ne puissent plus respirer. Il
est alors plus facile pour les ours de remonter les petites
baleines à travers la glace pour les manger.

L'ÉTÉ AU PÔLE NORD
C'est le seul moment où les températures, en Arctique,
montent au-dessus de zéro. Le temps est plus clément
dans les zones côtières
situées en bordure
des continents
voisins. Les
caribous
migrent au
nord pour
s'alimenter
et les fleurs
sauvages
s'épanouissent
dans le pays.

Europe

Arctique

Canada

Groenland

25

DE REDOUTABLES POURSUIVANTS
Les orques nagent extrêmement vite. Ils possèdent
des dents coniques très efficaces pour saisir et dévorer
poissons et mammifères de toutes tailles. Ils sont
capables de chasser en bandes organisées.

• LA VIE DANS LA MER •

Les prairies de l'océan

L'océan ressemble à une gigantesque prairie qui pourvoit à l'alimentation de tous les êtres vivants qui l'habitent. Les chaînes alimentaires (ou chaîne trophique) sous-marines composent un système complexe où de grosses créatures s'attaquent à de petites. Les saumons dévorent les petits poissons qui consomment le plancton animal (zooplancton) et végétal (phytoplancton) dérivant dans les eaux superficielles éclairées par la lumière solaire. Le plancton est la nourriture de base des animaux marins, et les plantes constituent le maillon indispensable des chaînes alimentaires. Elles utilisent de l'eau, du dioxyde de carbone et de l'énergie solaire pour fabriquer de la matière végétale.

PHYTOPLANCTON
Les eaux superficielles ensoleillées des océans regorgent
de vie microscopique, comme le phytoplancton qui
représente la base de l'alimentation marine.

Filament dévaginé

Filament enroulé

**UNE SERINGUE
DANS CHAQUE CELLULE**
Chaque tentacule de la méduse,
appelée physalie, contient de nombreus
cellules urticantes qui ont la forme
d'un sac contenant un filament barbelé
enroulé. Lorsqu'un poisson touche
la cellule, le filament se dévagine, perce
la peau et injecte son poison.

ZOOPLANCTON
Le plancton désigne les êtres vivants qui ne
peuvent se déplacer seuls. Le zooplancton est
en majeure partie constitué d'animaux
microscopiques (larves de poissons, petites
crevettes) mais les méduses en font aussi
partie.

26

LIONS DE MER ET PHOQUES
Ils sont les proies naturelles des gros cétacés et poissons carnassiers comme certaines baleines et requins.

AMATEUR DE PETITS POISSONS
La bouche grande ouverte et les dents prêtes à entrer en action, un saumon poursuit un banc de harengs.

LE PHYTOPLANCTON

Cette image satellite montre les aires de répartition du plancton végétal. Les zones les plus riches en plancton ressortent en rouge, les plus pauvres en violet. Les couleurs jaune (assez riche), verte (moyen) et bleue (assez pauvre) correspondent aux concentrations intermédiaires. Le satellite n'a pas enregistré de données pour les zones en gris.

UN MAILLON TÉNU
Le krill est une petite crevette qui vit en nombre dans l'océan Austral. Baleines, phoques et oiseaux de mer en consomment tous une grande quantité ; le krill constitue un maillon fondamental de la chaîne alimentaire de cette partie du monde.

UNE RAIE GÉANTE
Tous les animaux de grande taille ne se nourrissent pas de proies de grosse taille. La raie manta, si impressionnante soit-elle, plane entre deux eaux, bouche ouverte, pour saisir des poissons et des crustacés de taille modeste.

LA NAGE À RÉACTION
Un calamar fend l'eau ; son corps en forme de torpille se propulse en rejetant un jet d'eau en arrière. Il est en train de capturer un poisson avec les ventouses situées à l'extrémité de ses tentacules. Ce nageur émérite attrape facilement ses proies.

DES FILTRES VIVANTS
Les harengs se nourrissent de plancton qu'ils attrapent en filtrant l'eau de mer.

CHAULIODE DE SLOANE
Ce serpent de mer possède des organes lumineux ou photophores sur le ventre. Malgré une petite taille d'environ 30 centimètres, il arbore d'impressionnantes mâchoires garnies de dents acérées. C'est l'un des hôtes les plus effrayants des abysses.

POISSON-AVALEUR
Ce poisson, doté d'un énorme estomac expansible, est connu pour sa gloutonnerie. Il est capable de manger un poisson plus gros que lui.

• LA VIE DANS LA MER •

Vivre dans les abysses

Imagine le monde plongé dans le crépuscule. Impossible de distinguer des formes dans l'obscurité. C'est l'atmosphère qui règne dans les abysses, au-delà de 200 m sous les eaux superficielles. Les rayons du Soleil ne peuvent atteindre ces eaux froides et profondes. Le régalec, le roi des harengs, partage ce monde ténébreux avec le lampris, un poisson tacheté d'argent. Le calamar géant, qui vient parfois en surface la nuit, hante les profondeurs en compagnie de l'espadon et du thon ventru. La plupart des poissons vivant dans la zone sombre rayonnent dans l'obscurité. Ils abritent des bactéries qui produisent de la lumière – un procédé que l'on nomme bioluminescence. Certains animaux émettent des signaux lumineux pour attirer leurs partenaires... ou leurs proies ; plusieurs poissons possèdent un organe lumineux situé dans la partie inférieure de leur organisme, dont ils usent pour se camoufler, tandis que d'autres aveuglent temporairement leurs prédateurs avec de soudains flashs de lumière.

LE SAVAIS-TU ?
Certaines espèces de poissons et de crevettes utilisent la bioluminescence pour se camoufler. Ils possèdent des organes lumineux, situés au niveau du ventre, qui leur permettent de se fondre dans les eaux qui reçoivent encore un peu de lumière. Lorsque les prédateurs regardent vers le haut, la silhouette de leurs proies ne se détache pas.

MOLA MOLA
Ce poisson-lune présente un corps de forme originale qui peut dépasser 3 m de long.

LE ROI DES SAUMONS
Les Américains surnomment le poisson-ruban le roi des saumons. Ils croient qu'il conduit le saumon du Pacifique jusqu'à la rivière pour frayer lorsque commence la saison des amours.

POISSON-PÊCHEUR

La femelle possède un leurre lumineux. Son appât qui ressemble à une ampoule électrique contient des bactéries luminescentes. La lumière attire les proies vers le poisson-pêcheur qui n'a pas besoin de se fatiguer à chasser.

POISSON-LANTERNE

Très répandus, on les appelle des poissons-lanternes parce qu'ils possèdent des organes lumineux sur la tête et le corps.

ACTINIE

Son corps en forme de sac possède des orifices par lesquels l'eau circule.

POISSON-FLASH

Il est visible à une distance de 30 m dans les eaux profondes et noires de l'océan.

CALAMAR

Beaucoup de calamars vivent à de grandes profondeurs. Leurs sens sont très développés et ils peuvent se propulser rapidement dans l'eau.

POISSON-VIPÈRE

Le crochet incurvé du petit poisson-vipère en fait un dangereux prédateur.

LUMIÈRE ESCAMOTABLE

Les poissons-flash fréquentent les excavités des récifs de corail. Ils possèdent de gros organes lumineux sous leurs yeux qui contiennent des bactéries lumineuses ou rayonnantes. Le poisson utilise ces organes pour se nourrir mais aussi pour communiquer avec ses congénères. Mais rayonner dans le noir peut attirer des ennuis quand on essaie d'éviter ses ennemis. Le poisson-flash est capable de masquer ses lumières avec un écran de tissu pigmenté appelé mélanophore. Il peut ainsi allumer et éteindre la lumière, comme le fait un clignotant.

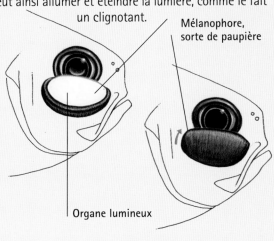

Mélanophore, sorte de paupière

Organe lumineux

HACHE D'ARGENT

Ce poisson a des organes lumineux sous le corps qui trompent les prédateurs qui nagent sous lui. Ses yeux ont de larges lentilles qui les aident à voir ses proies.

POISSON-DRAGON À GELÉE

L'épaisse couche gélatineuse qui recouvre les écailles de ce poisson contient des photophores.

Nager dans l'obscurité

Beaucoup de légendes décrivent les étranges habitants des abîmes marins. Quelle sorte de créature peut survivre à 1 000 m sous la surface de la mer dans les régions les plus profondes et les plus sombres de l'océan ? En fait, beaucoup de variétés d'invertébrés et de poissons, comme le poisson pêcheur et le grandgousier ainsi que les méduses aux couleurs vives. Tous présentent de surprenantes adaptations aux ressources limitées et aux conditions extrêmes qui règnent dans ce milieu. Le poisson-pêcheur utilise une longue épine sur son dos comme une canne à pêche. Le grandgousier a un corps filiforme, une tête enflée et des mâchoires qui représentent ensemble un quart de la longueur totale du corps. Beaucoup de ces nageurs de la nuit ont aussi recours à la bioluminescence pour attraper leurs proies et attirer leurs congénères.

LES MÂCHOIRES DU GRANDGOUSIER

Ce grandgousier noir possède une bouche en parapluie dotée de mâchoires gigantesques, garnies de dents minuscules. Ses petits yeux situés au bout de son museau espionnent son futur repas, un poisson-hachette. Sa longue queue fuselée se déploie sur cette double page. Suis-la jusqu'à son extrémité pour découvrir l'étonnant accessoire dont est pourvu le grandgousier.

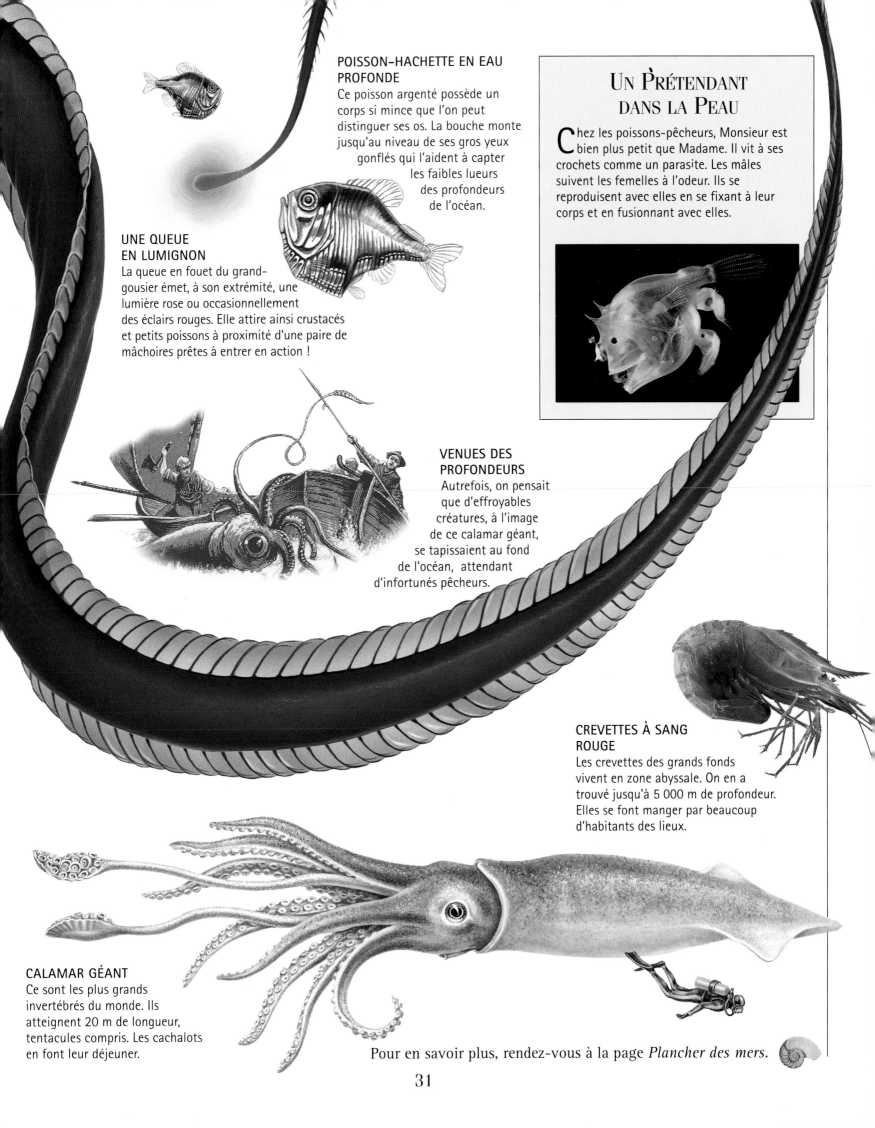

POISSON-HACHETTE EN EAU PROFONDE
Ce poisson argenté possède un corps si mince que l'on peut distinguer ses os. La bouche monte jusqu'au niveau de ses gros yeux gonflés qui l'aident à capter les faibles lueurs des profondeurs de l'océan.

UNE QUEUE EN LUMIGNON
La queue en fouet du grand-gousier émet, à son extrémité, une lumière rose ou occasionnellement des éclairs rouges. Elle attire ainsi crustacés et petits poissons à proximité d'une paire de mâchoires prêtes à entrer en action !

UN PRÉTENDANT DANS LA PEAU
Chez les poissons-pêcheurs, Monsieur est bien plus petit que Madame. Il vit à ses crochets comme un parasite. Les mâles suivent les femelles à l'odeur. Ils se reproduisent avec elles en se fixant à leur corps et en fusionnant avec elles.

VENUES DES PROFONDEURS
Autrefois, on pensait que d'effroyables créatures, à l'image de ce calamar géant, se tapissaient au fond de l'océan, attendant d'infortunés pêcheurs.

CREVETTES À SANG ROUGE
Les crevettes des grands fonds vivent en zone abyssale. On en a trouvé jusqu'à 5 000 m de profondeur. Elles se font manger par beaucoup d'habitants des lieux.

CALAMAR GÉANT
Ce sont les plus grands invertébrés du monde. Ils atteignent 20 m de longueur, tentacules compris. Les cachalots en font leur déjeuner.

Pour en savoir plus, rendez-vous à la page *Plancher des mers*.

Vivre au fond des océans

Les fonds marins sont froid – la température de l'eau dépasse rarement zéro degré –, sombres et silencieux. La nourriture y est donc rare (les plantes ne peuvent pas pousser sans énergie solaire). Les êtres qui vivent tout au fond des mers filtrent l'eau et tamisent les sédiments pour récupérer des parcelles de nourriture provenant des couches supérieures. Ils sont parfaitement adaptés à cet environnement austère. Certains ont un corps mou et une grosse tête. Ils n'ont pas besoin de peau et d'os solides car les vagues n'existent pas dans cette partie des océans. Beaucoup sont aveugles et se déplacent lentement dans l'eau. De gigantesques araignées de mer, des vers géants et des éponges comptent parmi les étranges habitants de ce pays noir d'encre.

Voyage au bout de la nuit
Le submersible américain *Alvin* peut emmener deux personnes à 5 000 m. Son homologue français, le *Nautile*, dépasse 6 000 m.

Un anguillidé
Ce long poisson proche de l'anguille vit à proximité des sources hydrothermales et se nourrit des vers qui les colonisent.

Mangeurs de bactéries
Moules et autres coquillages géants se nourrissent des bactéries qui se développent dans ces eaux.

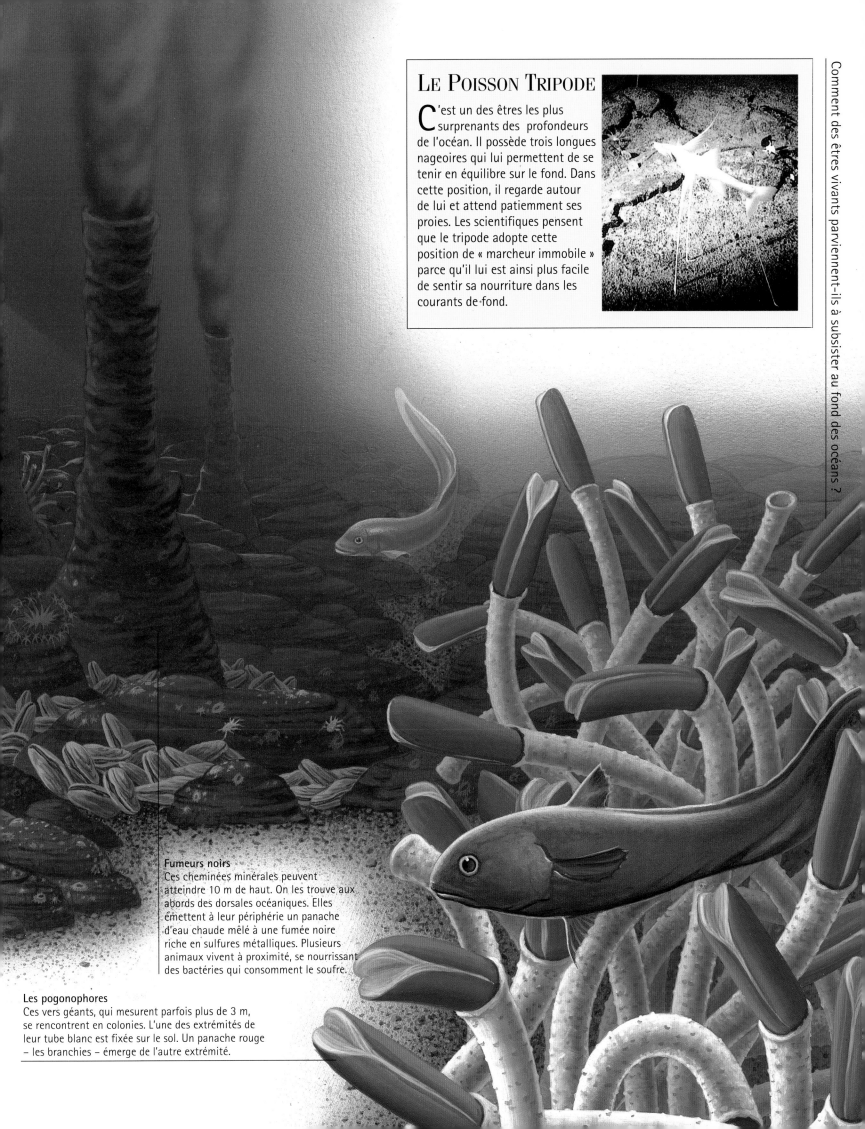

LE POISSON TRIPODE

C'est un des êtres les plus surprenants des profondeurs de l'océan. Il possède trois longues nageoires qui lui permettent de se tenir en équilibre sur le fond. Dans cette position, il regarde autour de lui et attend patiemment ses proies. Les scientifiques pensent que le tripode adopte cette position de « marcheur immobile » parce qu'il lui est ainsi plus facile de sentir sa nourriture dans les courants de fond.

Fumeurs noirs
Ces cheminées minérales peuvent atteindre 10 m de haut. On les trouve aux abords des dorsales océaniques. Elles émettent à leur périphérie un panache d'eau chaude mêlé à une fumée noire riche en sulfures métalliques. Plusieurs animaux vivent à proximité, se nourrissant des bactéries qui consomment le soufre.

Les pogonophores
Ces vers géants, qui mesurent parfois plus de 3 m, se rencontrent en colonies. L'une des extrémités de leur tube blanc est fixée sur le sol. Un panache rouge – les branchies – émerge de l'autre extrémité.

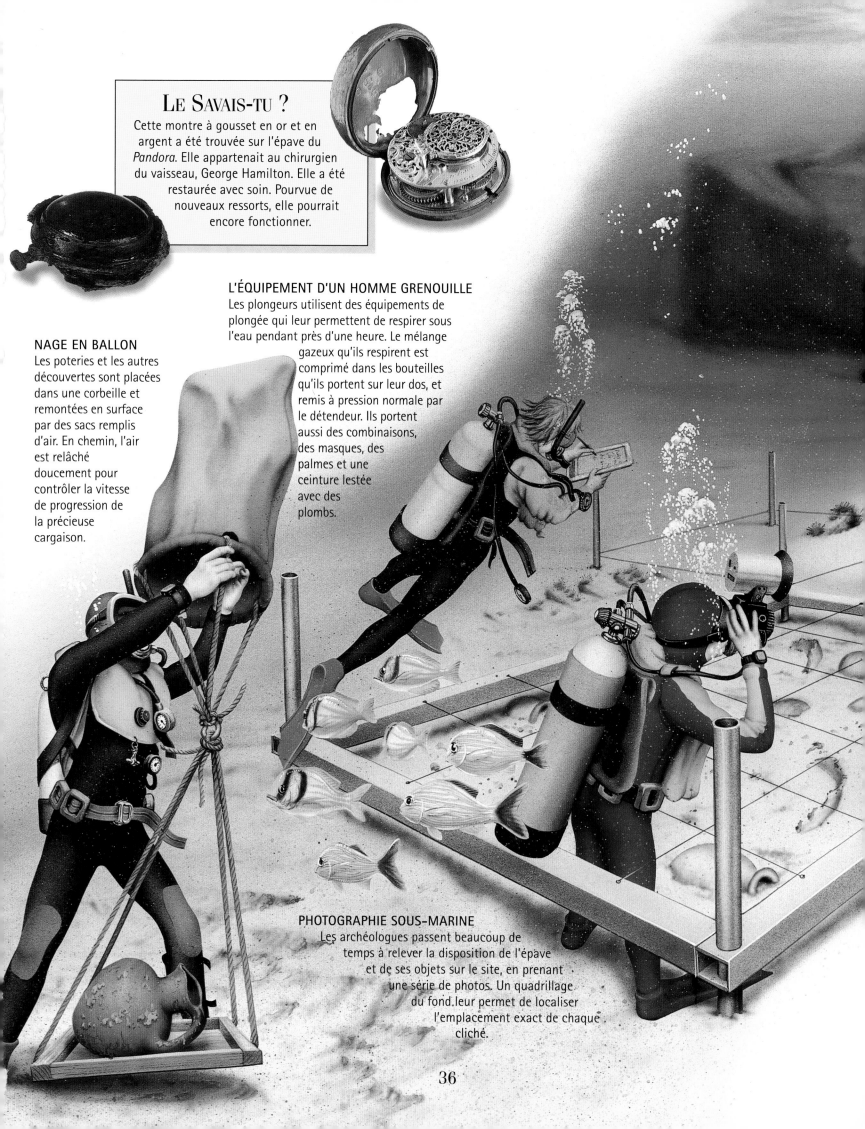

L'ÉQUIPEMENT D'UN HOMME GRENOUILLE

Les plongeurs utilisent des équipements de plongée qui leur permettent de respirer sous l'eau pendant près d'une heure. Le mélange gazeux qu'ils respirent est comprimé dans les bouteilles qu'ils portent sur leur dos, et remis à pression normale par le détendeur. Ils portent aussi des combinaisons, des masques, des palmes et une ceinture lestée avec des plombs.

NAGE EN BALLON

Les poteries et les autres découvertes sont placées dans une corbeille et remontées en surface par des sacs remplis d'air. En chemin, l'air est relâché doucement pour contrôler la vitesse de progression de la précieuse cargaison.

PHOTOGRAPHIE SOUS-MARINE

Les archéologues passent beaucoup de temps à relever la disposition de l'épave et de ses objets sur le site, en prenant une série de photos. Un quadrillage du fond leur permet de localiser l'emplacement exact de chaque cliché.

Épaves et trésors

Beaucoup d'épaves reposent au fond des mers, vestiges silencieux du temps passé. Tempêtes en mer, erreurs de navigation, cartes marines incomplètes, batailles navales acharnées et malchance sont à l'origine de la plupart des naufrages. Les épaves fournissent aujourd'hui une multitude d'abris aux habitants de la mer. Des plongeurs visitent celles situées dans les eaux superficielles, avec l'espoir d'y trouver des objets de valeur. Les tessons de poterie, pièces romaines, bouteilles et autre matériel sont des témoignages importants. Ils révèlent comment vivait leur propriétaire. L'un des naufrages les plus impressionnants est celui du *Titanic,* un luxueux paquebot anglais. Il gît par 4 km de fond et ne peut être rejoint que par un petit sous-marin appelé submersible. Le *Titanic* était, lui, réputé insubmersible ! Mais lors de son voyage inaugural, en 1912, il heurta un iceberg et coula rapidement, laissant derrière lui très peu de survivants. Alors que le bateau sombrait dans les eaux noires, l'orchestre continuait de jouer sur le pont.

TRÉSORS RETROUVÉS
Ce plongeur examine une jarre romaine incrustée qui reposait au fond de la Méditerranée. Les pieuvres élisent souvent domicile au fond des amphores vides qu'elles rencontrent sur le plancher océanique.

PRÊT À TIRER
Ce petit mousquet et ses balles de munition en plomb ont été retrouvés sur le *Pandora.* Le vaisseau coula au nord de l'Australie en 1791.

Premières explorations

DES LABORATOIRES SUR MESURE
Le *Challenger* était équipé de laboratoires où les scientifiques pouvaient examiner en détail les différents êtres vivants prélevés sur le fond marin.

En 1872, le vaisseau *Challenger* quitte l'Angleterre pour un voyage de quatre ans à la découverte du monde océanique. Les scientifiques à bord espèrent découvrir la profondeur de l'océan, veulent savoir si les mers sont toutes également salées... Ils ont l'intention de collecter des données et fournir des résultats qui favoriseront le développement d'une nouvelle science : l'océanographie. Ces explorateurs de l'océan vont en draguer le fond et récolter des échantillons de roches et de sédiments de l'Atlantique, du Pacifique et de l'Indien. Ils vont découvrir des milliers de nouvelles plantes et de surprenantes créatures marines. Ils vont enregistrer la température des eaux profondes et dresser la carte des principaux courants, consignant le moindre détail observé durant leur expédition... Ils étaient loin d'avoir tout appris sur la mer, mais l'étude des océans venait de commencer...

UN THERMOMÈTRE MARIN
Les chercheurs du *Challenger* utilisaient des thermomètres marins pour relever les températures les plus hautes et les plus basses de l'eau des océans.

LE VOYAGE
Le *Challenger* navigua au-delà du Cap Challenger, le point le plus méridional des Kerguelen, dans le sud de l'océan Indien. Le bateau accomplissait là la première partie de son voyage, traversant ensuite l'océan Pacifique et revenant en Angleterre par le détroit de Magellan.

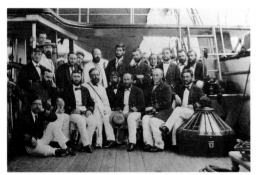

À LA CONQUÊTE DES GRANDES BLEUES

L'expédition du *Challenger* était dirigée par le Professeur Wyville Thomson. Il avait pour assistant un jeune géologue du nom de John Murray. Le capitaine Nares et son équipage menèrent le vaisseau sur les mers les plus périlleuses du globe.

SUR LE PLANCHER DES OCÉANS

Des dragueurs semblables à celui-ci furent utilisés par le *Challenger* pour prélever des plantes et des animaux sur le fond. Ils étaient lestés et traînés à l'aide d'un câble relié au bateau.

Dragueur   Lest

REFLETS DU MONDE

Les membres de l'expédition firent la description des animaux et des paysages rencontrés durant leur voyage.

CROQUIS DE VOYAGE

Ces dessins effectués durant l'expédition montrent l'anatomie d'une méduse, d'une étoile de mer et d'ophiures.

39

1 an

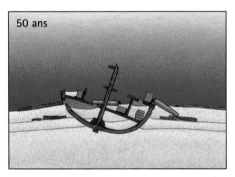

10 ans

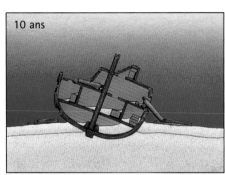

50 ans

80 ans

L'HISTOIRE DE LA PLONGÉE

Cela fait plus de deux mille ans que les hommes cherchent à explorer le monde sous-marin. Les anciens Grecs plongeaient pour aller ramasser les éponges qui étaient très recherchées. La cloche à plongée, inventée sous Alexandre le Grand, fut perfectionnée en 1721 et utilisée pour divers travaux marins. Dans la moitié du XIXᵉ siècle, les plongeurs portaient un équipement appelé scaphandre. À la fin des années 1920, Yves Le Prieur conçut le premier détendeur et, en 1933, Jacques-Yves Cousteau et Émile Gagnan mirent au point le scaphandre autonome. Dans les années 1970, les plongeurs en eau profonde portaient des combinaisons qui les faisaient ressembler à des spationautes.

LES AVENTURIERS EN PLONGÉE

Le célèbre astronome anglais Edmund Halley – qui donna son nom à la fameuse comète – perfectionna la cloche à plongée et inspira plusieurs inventeurs qui conçurent après lui d'autres types de cloches (voir ci-contre, à gauche). Elles permirent aux plongeurs d'explorer le monde sous-marin tout en respirant sous la cloche.

UN PLONGEUR À TÊTE DURE

Ce scaphandre du début du XXᵉ siècle possède un lourd casque en cuivre, avec une valve destinée à laisser passer de l'air neuf. Cet air était comprimé en surface à bord d'un bateau et circulait dans un tuyau jusqu'au casque du scaphandrier.

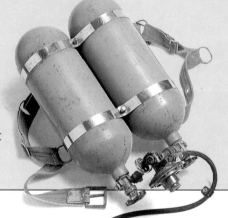

LES PREMIERS RÉSERVOIRS À AIR

Ce scaphandre autonome des années 1950 est similaire à celui conçu par Émile Gagnan et Jacques-Yves Cousteau. Il se fixe sur le dos du plongeur qui respire au moyen d'un détendeur abaissant la pression de l'air comprimé dans les bouteilles.

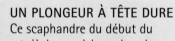
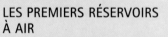

Pour en savoir plus, rendez-vous à la page *Les submersibles*.

DÉS|
Un bateau naufragé se désag
ans. Les mâts et le gréemer
premier. Au cours des
années, le pont supérieur s'é
un demi-siècle, c'est a
extérieur de la coque ;
s'accumulent alors dans l'é
vingts ans après le naufrage
entièrement remplie de s
bateau

UN ASPIRATEUR À SÉDIMENTS

Les fouilleurs utilisent des aspirateurs géants pour déblayer les sédiments du fond.

LA GRILLE D'EXCAVATION

Des grilles en aluminium, fixées entre elles et amovibles, aident les plongeurs à fouiller le site du naufrage de manière systématique. Chaque case de cet immense échiquier est explorée ; tous les objets trouvés sont répertoriés.

Les submersibles

L
e plancher océanique est à plusieurs kilomètres de la surface. Avec des mélanges gazeux complexes, les plongeurs professionnels parviennent tout juste à descendre à 300 m. Le point le plus profond de l'océan (la fosse des Mariannes) se trouve bien plus bas, à 11 km sous le niveau zéro. Le seul moyen d'atteindre de telles profondeurs est d'avoir recours aux bathyscaphes. Les submersibles proprement dits ne dépassent pas 6 500 m mais peuvent se déplacer au fond de l'eau et récolter des échantillons. Le submersible français, le *Nautile*, et son homologue américain, *Alvin*, ont ainsi pu se rendre sur les lieux du naufrage du *Titanic*. Des structures submersibles plus importantes ont également été utilisées pour la recherche. L'*Hydrolab*, mis à l'eau en Floride en 1968, fut pendant dix-huit ans la maison sous-marine des scientifiques qui étudiaient les mœurs et le comportement des centaines d'autres animaux vivant dans les récifs coralliens.

À L'INTÉRIEUR
Le tableau de bord du centre nerveux de l'*Alvin* paraît aussi complexe que celui d'un *Airbus* ou d'un engin spatial. Ses deux passagers communiquent par radio avec le vaisseau « mère ».

UNE ÉPAVE LÉGENDAIRE

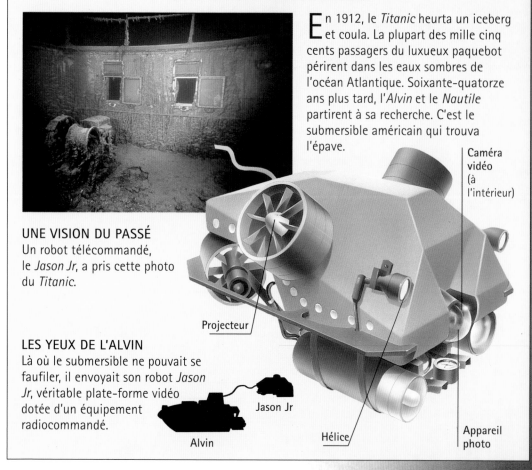

E
n 1912, le *Titanic* heurta un iceberg et coula. La plupart des mille cinq cents passagers du luxueux paquebot périrent dans les eaux sombres de l'océan Atlantique. Soixante-quatorze ans plus tard, l'*Alvin* et le *Nautile* partirent à sa recherche. C'est le submersible américain qui trouva l'épave.

Caméra vidéo (à l'intérieur)

UNE VISION DU PASSÉ
Un robot télécommandé, le *Jason Jr*, a pris cette photo du *Titanic*.

LES YEUX DE L'ALVIN
Là où le submersible ne pouvait se faufiler, il envoyait son robot *Jason Jr*, véritable plate-forme vidéo dotée d'un équipement radiocommandé.

Jason Jr

Projecteur

Alvin

Hélice

Appareil photo

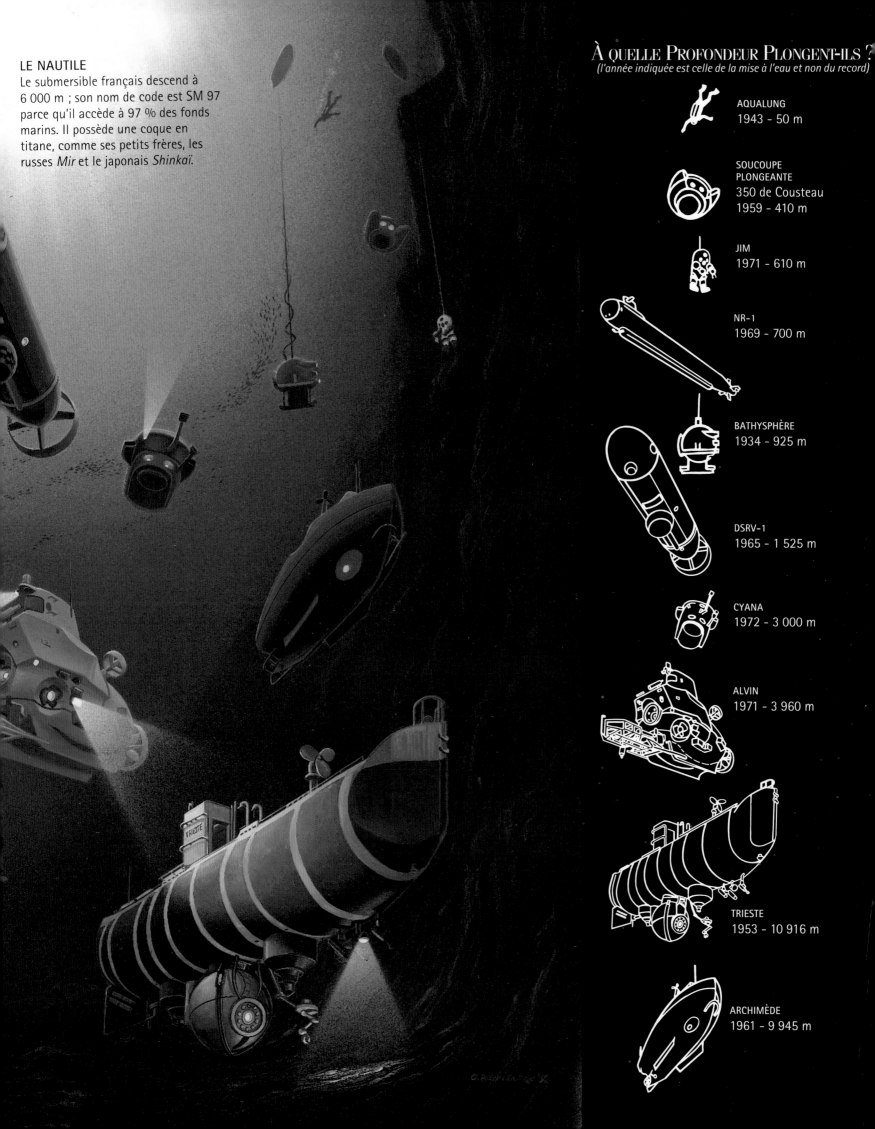

LE NAUTILE

Le submersible français descend à
6 000 m ; son nom de code est SM 97
parce qu'il accède à 97 % des fonds
marins. Il possède une coque en
titane, comme ses petits frères, les
russes *Mir* et le japonais *Shinkaï*.

À QUELLE PROFONDEUR PLONGENT-ILS ?
(l'année indiquée est celle de la mise à l'eau et non du record)

AQUALUNG
1943 - 50 m

SOUCOUPE
PLONGEANTE
350 de Cousteau
1959 - 410 m

JIM
1971 - 610 m

NR-1
1969 - 700 m

BATHYSPHÈRE
1934 - 925 m

DSRV-1
1965 - 1 525 m

CYANA
1972 - 3 000 m

ALVIN
1971 - 3 960 m

TRIESTE
1953 - 10 916 m

ARCHIMÈDE
1961 - 9 945 m

UN LABORATOIRE FLOTTANT
Le *Thomas G. Thompson,* qui mesure 83 m, est le deuxième plus grand navire de la flotte scientifique de la Woods Hole Oceanographic Institution, basée dans le Massachusetts, aux États-Unis. Ce laboratoire flottant navigue avec un équipage de vingt personnes, ainsi qu'une trentaine de scientifiques et de techniciens. Le *Thomas G. Thompson* mène des programmes de recherches dans toutes les mers du monde.

NŒUDS MARINS
Ce nœud plat est utilisé pour attacher ensemble deux cordes de taille égale.

Le mât
Il est équipé d'anémomètres (pour mesurer la vitesse du vent), de projecteurs, d'antenne de navigation et de radar.

Aire de montage
C'est là qu'est entreposé le système d'échantillonnage d'eau.

Laboratoire principal
Échantillons et données sont analysés à cet endroit en permanence.

• L'EXPLORATION DES OCÉANS •

Les navires de recherche

Les océans couvrent les deux tiers de la surface terrestre. Les navires de recherche rendent possible l'exploration de cette immense étendue d'eau. Ils sont équipés pour que les scientifiques puissent étudier les courants profonds et la topographie des fonds marins, qu'ils apprennent comment l'océan interagit avec l'atmosphère terrestre, comment ces interactions affectent le climat et modifient les conditions météorologiques, comment des perturbations d'origine naturelle ou humaine comme la combustion de matières fossiles (pétrole, charbon, gaz) et l'émission de dioxyde de carbone dans l'air agissent sur les océans...

DES ÉCHANTILLONS D'EAU
Ces scientifiques s'apprêtent à jeter à la mer des bouteilles de prélèvement. L'eau prélevée au niveau des fonds sera analysée.

42

Knorr

Atlantis II

Oceanus

Asterias

MAÎTRES D'ŒUVRE

La Woods Hole Oceanographic Institution possède une flotte de haute technologie destinée à des missions océanographiques très variées. L'Institut français de recherche et d'exploitation de la mer (IFREMER) gère une demi-douzaine de navires qu'il affrète pour ses propres campagnes ou qu'il loue à d'autres organismes de recherche.

QUI EST FLIP ?

La plate-forme instrumentale flottante (en anglais Floating Instrument Platform ou FLIP) a été mise à la mer par les États-Unis en juin 1962. Elle constitue pour les océanographes une base stable dans les mers houleuses. FLIP est remorquée depuis son port d'attache à San Diego jusqu'à son site d'opération, où on la laisse dériver. Là, elle bascule de manière à ce que sa poupe reste immergée. L'équipage se retrouve dans la section supérieure de la proue, qui est maintenant une plate-forme de recherche.

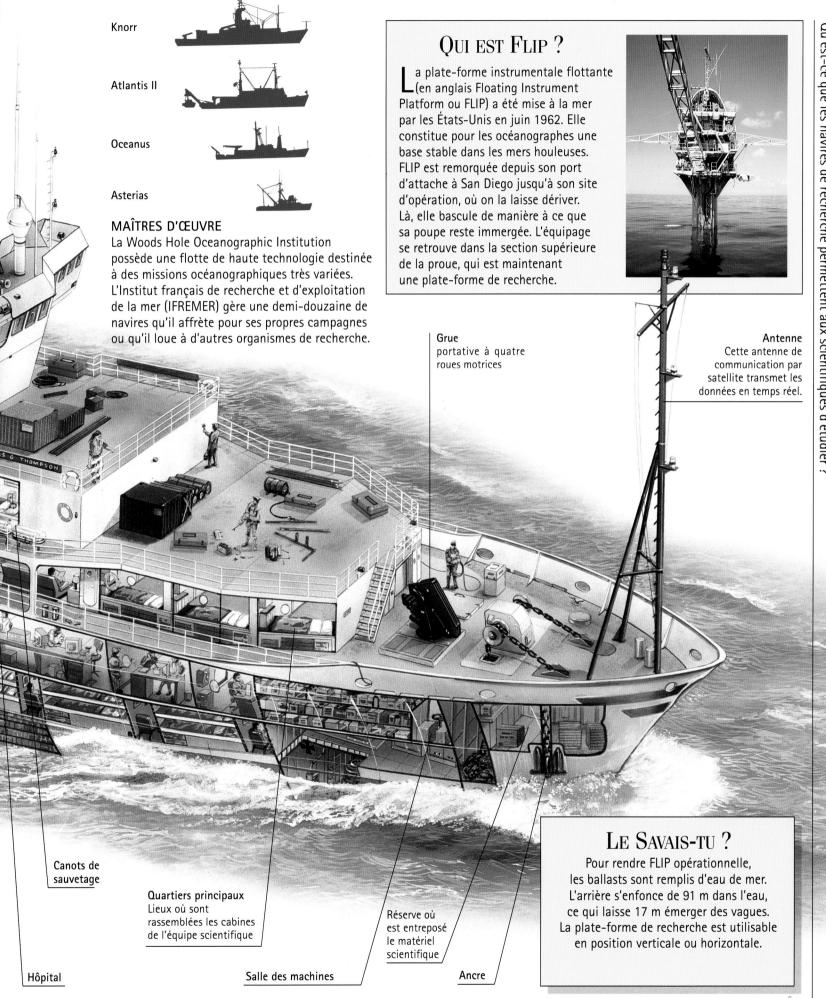

Grue
portative à quatre roues motrices

Antenne
Cette antenne de communication par satellite transmet les données en temps réel.

Canots de sauvetage

Quartiers principaux
Lieux où sont rassemblées les cabines de l'équipe scientifique

Réserve où est entreposé le matériel scientifique

Hôpital

Salle des machines

Ancre

LE SAVAIS-TU ?

Pour rendre FLIP opérationnelle, les ballasts sont remplis d'eau de mer. L'arrière s'enfonce de 91 m dans l'eau, ce qui laisse 17 m émerger des vagues. La plate-forme de recherche est utilisable en position verticale ou horizontale.

Pour en savoir plus, rendez-vous à la page *Épaves et trésors*.

Légendes de mer

Les premiers navigateurs et explorateurs à la recherche de nouvelles terres durent affronter maints périls dans des mers inconnues. Ils bravèrent tempêtes, icebergs, brouillards, récifs à fleur d'eau et absence de vent, attendant que la brise gonfle leurs voiles. Les marins parlaient de gigantesques monstres marins, de sirènes et de Neptune, fière divinité de la mer. Des rumeurs et des histoires imaginaires, ou réelles mais déformées, circulaient dans chaque port. À tel point que les cartographes représentaient toujours, en marge des voies maritimes, des figures de dragons et autres monstres terrifiants. Beaucoup de pays possèdent leurs propres légendes sur la mer. Les anciens Grecs racontaient des histoires de sirènes (mi-femme, mi-poisson) dont les chants sublimes ensorcelaient les navigateurs au point de les pousser à se fracasser contre les récifs. Ulysse, un des héros de la mythologie grecque, dut boucher les oreilles de ses marins avec de la cire pour les empêcher de se précipiter dans les flots lorsqu'ils croisèrent à proximité de l'île aux sirènes.

LES MONSTRES MARINS

Existent-ils réellement ? Ou sont-ils des caricatures de créatures réelles comme les poissons scie, les narvals ou les cachalots ? Cette pieuvre géante se cramponnant au bateau est un kraken, figure mythique qui fréquente les côtes norvégiennes. Elle paraît bien réelle aux marins qui s'accrochent désespérément aux cordages du bateau qui chavire.

FEMMES D'ÉCUME
Les sirènes sont souvent représentées avec une longue chevelure parée de peignes en coquillage. Les légendes racontent qu'elles attirent les humains et les entraînent dans les abîmes marins.

LE MONSTRE DU LOCH NESS

Le Loch Ness, un lac très profond situé dans le nord de l'Écosse, est un endroit étrange et isolé, souvent enveloppé de brume. Plusieurs personnes affirment avoir vu une drôle de bête glissant à la surface de l'eau avant de disparaître. Le lac a été sondé à plusieurs reprises, sans résultat. Surveillances aériennes, observations nocturnes en lumière infrarouge, sonars, recherches en sous-marins de poche, poses d'appâts n'ont pu prouver l'existence de celui que l'on surnomme Nessie.

LE DIEU DE LA MER
Pour les Romains, Neptune était le dieu de la mer. Il régnait sur toutes les créatures vivant dans les flots.

DES PREUVES QUI N'EN SONT PAS
Cette photographie n'apporte nullement la preuve de l'existence de Nessie. L'auteur du cliché a d'ailleurs reconnu en 1993 qu'il s'agissait d'une photo truquée.

LE MYSTÈRE DU LOCH NESS

45

VISION DE SPECTRES
Ces matelots sont glacés d'effroi à la vision d'un vaisseau fantôme, émergeant sans bruit de la brume.

Où sont-ils passés ?

L es énigmes de l'océan ne manquent pas. Elles fascinent les hommes depuis des milliers d'années. L'une des régions du globe les plus mystérieuses est certainement le Triangle des Bermudes, qui s'étend entre les Bermudes, la Floride et Puerto Rico. De nombreux bateaux et avions s'y sont perdus corps et biens. Personne n'a été capable d'expliquer leur disparition. Des grains violents ou de puissants courants ont probablement causé leur perte de manière brutale. Mais qu'en est-il de la *Mary Celeste* et de son équipage fantôme ? En 1872, ce brick américain a été trouvé intact, dérivant au milieu de l'Atlantique. Il n'y avait aucun matelot à bord et peu d'indices pour expliquer ce qu'il était advenu d'eux. Le continent légendaire d'Atlantis n'est pas le moins étonnant des mystères du passé. Le philosophe grec, Platon, a écrit qu'il avait été englouti dans l'océan Atlantique. Mais a-t-il réellement existé ? Beaucoup de gens pensent que cette légende a été inspirée par la catastrophe naturelle de Théa, une île grecque ravagée par une éruption volcanique.

UNE EXPLICATION POSSIBLE
Lorsque la *Mary Celeste* fut découverte en train de dériver, le canot de sauvetage et les instruments de navigation manquaient. Son capitaine a-t-il ordonné l'abandon du navire, et a-t-il lui-même embarqué avec sa femme et sa petite fille de deux ans à bord du canot ?

ÉTONNANT MAIS VRAI
La *Mary Celeste* a-t-elle navigué toute seule ? Les dernières notes du journal de bord situent le navire près des Açores, à 1 130 km et 9 jours de l'endroit où il a été retrouvé.

LA DERNIÈRE MISSION

Le 5 décembre 1945, grondent dans le ciel les moteurs de cinq bombardiers *Torpedo*, partis de Floride pour un vol d'entraînement. Parvenue à hauteur du Triangle des Bermudes, l'escadrille entière disparaît. Lors du dernier contact radio avec leur base, les pilotes annoncèrent qu'ils étaient à court de carburant et qu'ils devaient se poser sur l'eau. Les secours sillonnèrent l'océan pendant cinq jours. Aucune trace des avions et des hommes...

LE ROYAUME PERDU

Platon

Le philosophe grec Platon fut le premier à avoir écrit sur la civilisation perdue d'Atlantis. Il raconta qu'il y a des milliers d'années, une grande île existait dans l'océan Atlantique. Ses temples étaient décorés d'or, d'argent, de cuivre et d'ivoire. Son peuple vivait dans l'opulence et habitait de magnifiques résidences. Mais, poursuivit Platon, les gens devinrent cupides et malhonnêtes, s'attirant la colère des dieux. Durant un jour et une nuit, de violentes éruptions volcaniques secouèrent l'île et la firent disparaître à jamais dans les flots.

L'ATLANTIS CARTOGRAPHIÉE

Sur cette carte du XVII° siècle, l'Atlantis figure comme une très grande île située à mi-chemin entre l'Amérique et les colonnes d'Hercule, à l'entrée du bassin méditerranéen.

Les énigmes de la migration

Beaucoup d'animaux accomplissent chaque année de longs déplacements pour rejoindre des climats plus chauds, trouver de la nourriture ou gagner des sites de reproduction sûrs où ils pourront élever leur progéniture. Les migrations peuvent couvrir plusieurs milliers de kilomètres. Certains oiseaux de mer polaires migrent sur d'immenses distances, mais les plus valeureux sont sans conteste les sternes - les hirondelles de mer - d'Arctique. Chaque année, elles effectuent dans les deux sens le trajet d'un pôle à l'autre du globe, accomplissant un voyage de 15 000 km. Les baleines se reproduisent et donnent naissance dans les mers chaudes, mais elles migrent dans les eaux polaires pour avaler les énormes quantités de krill que leur organisme requiert. Les tortues marines traversent de vastes océans avant d'atteindre leurs sites de reproduction et de ponte. Mais comment font-elles pour s'orienter dans l'univers marin avec autant de précision ? La migration animale n'a pas fini d'étonner les scientifiques.

BÉBÉS TORTUES
Ces tortues se dirigent instinctivement vers la mer, à peine sorties du sable où les œufs ont éclos. Une fois dans l'eau, elles constituent des proies faciles pour de nombreux prédateurs comme les requins. Beaucoup périront.

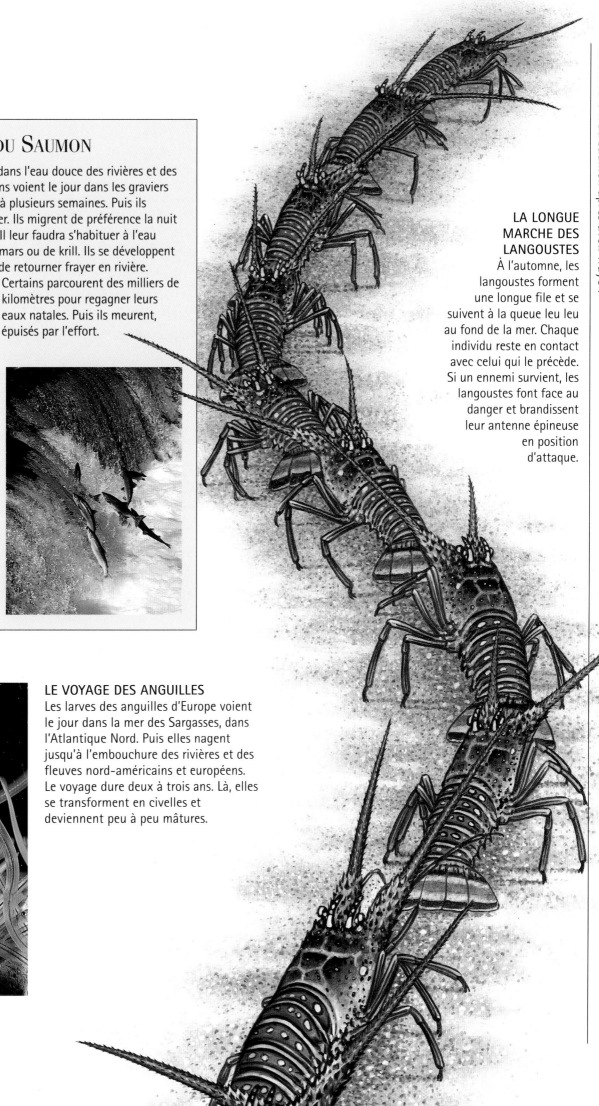

LE CYCLE DU SAUMON

Le saumon pond ses œufs dans l'eau douce des rivières et des fleuves. Les jeunes saumons voient le jour dans les graviers du lit de la rivière et restent là plusieurs semaines. Puis ils descendent le cours d'eau jusqu'à la mer. Ils migrent de préférence la nuit pour éviter les mauvaises rencontres... Il leur faudra s'habituer à l'eau salée, et se nourrir de poissons, de calamars ou de krill. Ils se développent pendant quatre ans dans la mer avant de retourner frayer en rivière.

Certains parcourent des milliers de kilomètres pour regagner leurs eaux natales. Puis ils meurent, épuisés par l'effort.

LES ŒUFS DE SAUMON
Les saumons cachent leurs gros œufs vitellins dans le gravier des rivières, à l'abri des appétits. Les jeunes saumons se nourrissent du vitellus de leur œuf.

NAGER À CONTRE-COURANT
Les saumons sockeye doivent franchir des obstacles comme cette cascade située dans la rivière Adams, au Canada, pour regagner leur frayère.

LA LONGUE MARCHE DES LANGOUSTES
À l'automne, les langoustes forment une longue file et se suivent à la queue leu leu au fond de la mer. Chaque individu reste en contact avec celui qui le précède. Si un ennemi survient, les langoustes font face au danger et brandissent leur antenne épineuse en position d'attaque.

LE VOYAGE DES ANGUILLES
Les larves des anguilles d'Europe voient le jour dans la mer des Sargasses, dans l'Atlantique Nord. Puis elles nagent jusqu'à l'embouchure des rivières et des fleuves nord-américains et européens. Le voyage dure deux à trois ans. Là, elles se transforment en civelles et deviennent peu à peu mâtures.

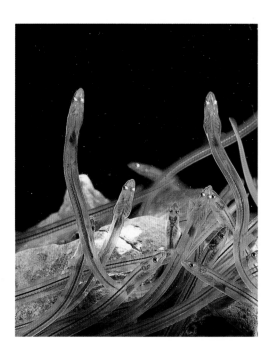

Les produits de la mer

Les hommes se nourrissent des produits de la mer depuis des milliers d'années. Poissons, mollusques et crustacés sont riches en protéines et en nutriments essentiels. Beaucoup de peuples les incluent largement dans leur alimentation. Pour récolter les produits de la mer, on peut pêcher avec une ligne, un hameçon et un plomb, poser une nasse ou un panier dans la mer pour piéger des crabes, des homards ou des langoustes, monter une station d'aquaculture pour produire poissons et crustacés en grande quantité, ou utiliser des bateaux de pêche de haute technologie dotés d'un équipement des plus modernes. Ces énormes navires pêchent chaque année des millions de tonnes de poissons, harengs, thons, morues, et maquereaux qui s'en iront garnir l'assiette des hommes ou seront transformés en huile de poisson, en aliments pour animaux et en engrais. La plupart des prises s'effectuent en eau côtière, là où les espèces viennent se nourrir.

Crabe

POUR ATTRAPER UN THON
Gros et lourds, les thons sont des proies difficiles. Il faut parfois quatre hommes pour hisser un thon sur le pont d'un bateau. Certains ont la force de traîner le bateau de pêche pendant un long moment avant de s'éclipser avec l'appât, sans être pris.

UN MENU DE CHOIX
Une grande variété d'aliments viennent de la mer : poissons, céphalopodes comme les seiches et les calamars, crevettes, fruits de mer sont consommés dans le monde entier.

OSTRÉICULTURE
Beaucoup de fermes ostréicoles sont localisées dans les eaux riches en algues microscopiques, qui constituent la nourriture naturelle des huîtres. Celles-ci croissent sur des supports appelés collecteurs et sont généralement récoltées lorsqu'elles ont entre 18 mois et 3 ans.

FILETS ET CHALUTS

Les grandes flottes de pêche passent parfois plusieurs mois en mer, draguant l'océan avec différentes sortes de filets. Le chalut est un grand filet tiré par le bateau (le chalutier) et qui attrape la plupart des espèces de poissons vivant sur le fond. Des flotteurs et des poids maintiennent ouverte la gueule du chalut qui rafle ainsi tout ce qui passe à sa portée. L'un des plus grands chaluts du monde pourrait contenir douze Boeing 747. Certaines espèces de poissons comme les anchois s'attrapent plutôt au moyen d'une senne coulissante, qui forme une grande poche dans l'eau. Des poissons pélagiques (c'est-à-dire qui nagent en haute mer), comme le thon, sont souvent pêchés à la ligne (au palangre) mais aussi aux filets maillants dérivants. Ces filets qui s'étendent sur des kilomètres flottent juste sous la surface de l'eau. Ce sont des pièges mortels pour les dauphins et les tortues de mer. Malgré une pression croissante de l'opinion publique internationale, plusieurs nations continuent de les utiliser.

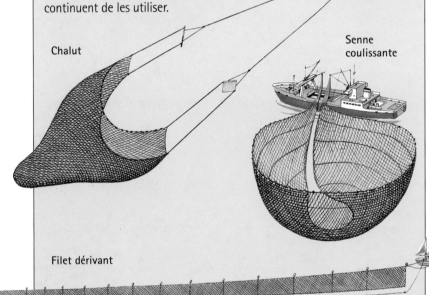

Chalut

Senne coulissante

Filet dérivant

D'ANCIENNES PRATIQUES
Un pêcheur étend une pieuvre au soleil pour la faire sécher. Cette méthode traditionnelle de conservation de la nourriture est une des plus efficaces.

LE SAVAIS-TU ?

Au Japon, en Chine et dans d'autres parties de l'Asie, se pratique la pêche au cormoran : le pêcheur attache un lien au corps de l'oiseau afin de pouvoir le ramener sur le bateau. Un anneau ou une corde entoure le cou du cormoran, l'empêchant d'avaler les poissons qu'il attrape avec son bec.

Pour en savoir plus, rendez-vous à la page *Les prairies de l'océan*.

51

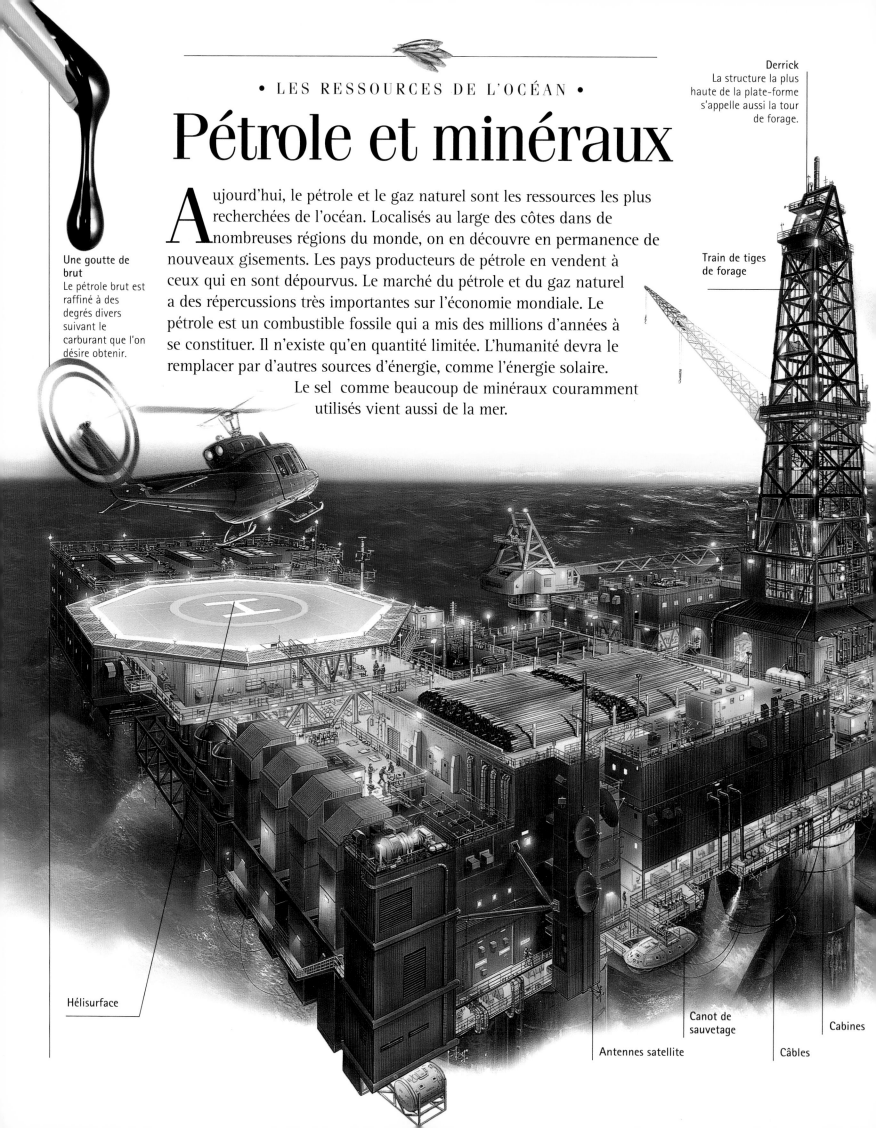

Pétrole et minéraux

Aujourd'hui, le pétrole et le gaz naturel sont les ressources les plus recherchées de l'océan. Localisés au large des côtes dans de nombreuses régions du monde, on en découvre en permanence de nouveaux gisements. Les pays producteurs de pétrole en vendent à ceux qui en sont dépourvus. Le marché du pétrole et du gaz naturel a des répercussions très importantes sur l'économie mondiale. Le pétrole est un combustible fossile qui a mis des millions d'années à se constituer. Il n'existe qu'en quantité limitée. L'humanité devra le remplacer par d'autres sources d'énergie, comme l'énergie solaire. Le sel comme beaucoup de minéraux couramment utilisés vient aussi de la mer.

Une goutte de brut
Le pétrole brut est raffiné à des degrés divers suivant le carburant que l'on désire obtenir.

Derrick
La structure la plus haute de la plate-forme s'appelle aussi la tour de forage.

Train de tiges de forage

Hélisurface

Canot de sauvetage

Cabines

Antennes satellite

Câbles

QU'EST-CE QUE LE PÉTROLE ?

Il s'est formé lorsque plantes mortes et cadavres d'animaux sont tombés au fond de l'eau. Ces éléments organiques ont été ensevelis sous une couche de vase et de sable, qui se sont compactés en roche durant des millions d'années. La matière en décomposition a été comprimée. Sous l'action croissante de la température et de la pression, elle s'est transformée en gouttelettes de pétrole en suspension dans les grains de la roche sédimentaire, comme de l'eau dans une éponge.

Grue pivotante

Torchère

DES PATATES DE MANGANÈSE

Le manganèse est un métal dur et cassant. Il est utilisé pour rendre des alliages comme l'acier plus fermes et plus résistants. Le manganèse existe au fond des océans sous forme de nodules. Ceux montrés ici proviennent du plateau Blake, dans l'océan Atlantique Nord, situé à 400 m de profondeur. Les nodules de manganèse se forment là où les sédiments s'accumulent. Ils grossissent à mesure que le métal se dépose, allant parfois jusqu'à s'agglomérer. Les nodules ressemblent généralement à de petites patates sombres. Il leur faut un million d'années pour s'accroître de quelques millimètres. Des compagnies minières ont localisé de riches dépôts de nodules de manganèse à très grande profondeur. Mais l'exploitation de ce minerai est extrêmement coûteuse. D'abord les nodules doivent être dragués, souvent dans des eaux profondes, et ramenés à terre. Puis ils doivent être traités avec des produits chimiques pour en extraire le manganèse. Pour l'instant, l'opération n'est pas rentable et les nodules du fond des mers ne sont pas exploités.

PROFONDEUR DE FORAGE
Les puits peuvent traverser les strates rocheuses successives selon des angles différents avant d'atteindre une poche de pétrole.

Tête de puits
Le gaz naturel et le pétrole sont évacués jusqu'à une raffinerie ou un pétrolier par pipe-line.

Ordinateurs contrôlant le débit de gaz naturel ou de pétrole

UN FORAGE EN OR
Une plate-forme pétrolière est un immense édifice d'acier et de béton planté au milieu de l'océan. Plusieurs centaines d'ouvriers peuvent y vivre durant des semaines. La plupart des plates-formes ont une durée de vie de 25 ans, même si l'une d'entre elles a survécu 60 ans. Chaque jour, ces plates-formes pompent des millions de barils de pétrole ou « or noir », l'autre nom de ce liquide poisseux, malodorant mais si précieux.

CONTRÔLER LES FONDATIONS
Des plongeurs doivent régulièrement contrôler l'état des pipe-lines – oléoduc pour le pétrole ou gazoduc pour le gaz naturel – car les vagues peuvent finir par disloquer l'armature métallique la plus solide.

Canot de sauvetage

Niveau de l'eau
Il monte et descend avec la marée.

Schiste argileux et roches poreuses
L'eau passe entre les grains de schiste, de grès et de calcaire.

Couche imperméable
Une couche de roche dense forme un couvercle.

Mélange huile/eau
Pétrole, eau et gaz forment des poches dans la couche de roches poreuses. Eau et pétrole se mêlent en petite quantité.

Roches non poreuses
Cette couche, souvent du granite, empêche le pétrole de se répandre plus loin.

53

Les dangers de la pollution

Déchets ménagers et industriels ont été rejetés dans la mer depuis bien longtemps. Les gens croyaient volontiers que l'eau de mer pouvait tuer tous les germes nocifs. Mais l'eau véhicule de terribles maladies comme le choléra, le typhus et l'hépatite. En pénétrant dans la chaîne alimentaire, certaines substances toxiques s'accumulent un peu plus à chaque échelon. Les humains, en bout de chaîne, sont menacés par cette bioaccumulation des polluants. Au Japon, dans les années 1950, de nombreuses personnes sont mortes ou sont restées paralysées après avoir mangé du poisson contaminé par le mercure que rejetait localement une usine. Les Nations Unies commencèrent à s'attaquer sérieusement au problème dans les années 1970, mais cela n'a pas empêché certaines régions marines de mourir.

UNE POUBELLE GÉANTE
Nous jetons toutes sortes de détritus à la mer en oubliant qu'ils ne sont pas forcément biodégradables.

UNE VIE HASARDEUSE
Ce phoque est à moitié étrang par un filet de pêche dont on s'est débarrassé sans précauti Chaque objet abandonné dan la mer est potentiellement dangereux pour les créatures marines. Filets, sacs en plastio ou simple anneau de canette de soda peuvent tuer des mammifères marins, des oisea de mer et des poissons.

ÉTONNANT MAIS VRAI
Ce bernard-l'ermite a été trouvé dans un étrange coquillage ; il a récupéré un récipient en plastique en guise d'habitat.

MARÉE NOIRE

Lorsqu'un pétrolier déverse accidentellement sa cargaison dans la mer, ou qu'il dégaze, (nettoie ses citernes), des hydrocarbures sont rejetés et forment des nappes qui dérivent. On tente de les piéger au moyen de barrières flottantes pour aspirer le pétrole et l'entreposer dans un endroit sûr. Ces hommes nettoient les côtes rocheuses après la catastrophe de l'*Exxon Valdez*, en Alaska.

Lieu de ramassage
Route
Barrière
Épanchement de pétrole
Entrée du port
Direction du vent

LES ALGUES BLEU-VERT
Des paquets d'algues marines, qui se développent en eau polluée, flottent près de la surface de la mer. En faisant de l'ombre, l'algue inhibe la croissance de la pelouse marine. Privés de cette source de nourriture, poissons, mollusques, crustacés et vers marins périclitent.

PLAGE OU DÉCHARGE ?
Cette plage sauvage de Chypre est littéralement envahie par les détritus apportés par la mer.

MORT NOIRE
Le pétrole répandu dans la mer est dévastateur pour la vie sauvage. Quand le plumage d'un oiseau est recouvert de pétrole, il ne reste pas imperméable. L'eau atteint le corps non protégé de l'oiseau qui se noie ou qui meurt de froid.

55

L'avenir de la mer

À qui appartient la mer et qui doit veiller sur elle ? Comment pouvons-nous être sûrs que ses vastes ressources, dont nous dépendons pour l'alimentation, les carburants et l'énergie, ne sont pas en train de s'épuiser ? Les générations futures pourront-elles encore nager dans une eau pure et claire ? Si l'on veut protéger la mer, on doit la gérer correctement. Tous les continents sont bordés par les océans, toutes les nations doivent coopérer pour les préserver. Des mesures importantes comme l'établissement de réserves marines protégeant milieux et espèces en danger ont déjà été prises. Beaucoup de pays ont signé des accords pour limiter certaines activités, comme par exemple l'utilisation de filets dérivants qui menacent la faune marine. Mais la surpêche et la pollution continuent de dégrader l'écosystème océanique. Il y a encore beaucoup à faire pour lui assurer un avenir...

ÉCHOUÉES !

Les baleines qui nagent trop près des côtes peuvent s'échouer. Elles ont besoin d'eau pour soutenir leur corps, sans cela elles s'étouffent rapidement. Elles courent aussi le risque de se déshydrater. Ces volontaires humectent la peau des cétacés jusqu'à ce que la marée haute leur permette de flotter de nouveau.

RESPECTER LA NATURE

L'oiseau de mer qui nidifie à terre ne semble pas perturbé par cette inspection rapprochée. Protéger la nature, c'est la condition indispensable pour pouvoir admirer les animaux dans leur milieu.

COURONNE D'ÉPINES

La couronne d'épines reste cachée durant le jour et sort la nuit pour se nourrir de corail. Elle mange les tissus vivants des polypes, ne laissant derrière elle que le squelette. Cette étoile de mer a causé de gros dégâts sur les récifs de la région Indo-Pacifique au cours des vingt dernières années.

GÉRER L'OCÉAN

Les océans unissent tous les pays du monde. Différentes nations peuvent gérer les océans :

- en créant des réserves marines pour protéger le milieu, sa faune et sa flore ;

- en déterminant à qui appartiennent les eaux marines et quelle responsabilité incombe aux éventuels propriétaires. Les pays côtiers possèdent et gèrent toutes les ressources vivantes et non vivantes sur un territoire de 200 miles nautiques à partir du niveau des eaux basses. Le reste des océans constitue une zone internationale qui ne peut être contrôlée par aucune nation ;

- en interdisant ou restreignant certaines techniques halieutiques (c'est-à-dire concernant la pêche) et baleinières, qui exercent une pression trop forte sur le milieu marin ;

- en limitant et en contrôlant la nature et la quantité des polluants rejetés en mer ;

- en surveillant l'état et l'âge des bateaux autorisés à naviguer en mer ;

- en veillant à ce que les sous-marins nucléaires et que les pétroliers ne soient pas autorisés à naviguer près des réserves marines, des côtes habitées ou de toute zone sensible près du littoral ;

- en s'assurant que des animaux destructeurs comme l'étoile de mer couronne d'épines soient contrôlés et ne puissent plus endommager des milieux aussi précieux que la grande barrière de corail en Australie.

LA VENTE DES COQUILLAGES

Beaucoup de gens collectionnent les coquillages pour leurs formes et leurs couleurs. Mais ces coquillages peuvent servir de refuge à de nombreux animaux du littoral. Des habitats disparaissent chaque fois qu'on ramasse des coquillages sur la plage.

DES PRÉCAUTIONS ÉLÉMENTAIRES

Ce promeneur emporte avec lui les reliefs de son pique-nique. Si les gens laissent leurs détritus sur leur lieu de campement, et tout particulièrement au bord d'une rivière, la pollution peut éventuellement gagner l'océan.

Conservation des océans

L'énorme accroissement des populations implique des besoins accrus en produits de la mer. Malheureusement, la plupart des pêcheries traditionnelles ont atteint un niveau de prélèvement tout juste compatible – ou plus du tout compatible – avec le renouvellement des stocks de poissons. Les populations marines n'ont plus le temps de se renouveler : il y a surpêche. Pour exploiter les ressources vivantes de l'océan, il faut non seulement supprimer toute pollution mais aussi être plus modéré sur l'ampleur des prises. Nos besoins accrus en poissons, en crustacés, en mollusques ne peuvent être satisfaits que dans une eau pure. Ils le seront aussi en créant de nouvelles pêcheries, en encourageant le développement de l'aquaculture.

LES PARCS MARINS

Les récifs de coraux se dégradent partout dans le monde, victimes des effets de la pollution et de la surpêche. Pour prévenir cette mort programmée, la plupart des pays tropicaux créent des parcs marins où les récifs sont protégés et où les touristes peuvent apprécier leur beauté et leur richesse. Le plus grand de ces sanctuaires est la Grande Barrière de corail qui s'étend sur 2000 km, au nord-est de l'Australie.

Le tilapia africain L'aquaculture pratiquée dans le sud-est de l'Asie est une industrie florissante. Beaucoup d'espèces locales sont exploitées, mais le tilapia africain est une des plus communes. La génétique a permis d'augmenter considérablement le taux de croissance de ce poisson, et d'obtenir d'excellents rendements.

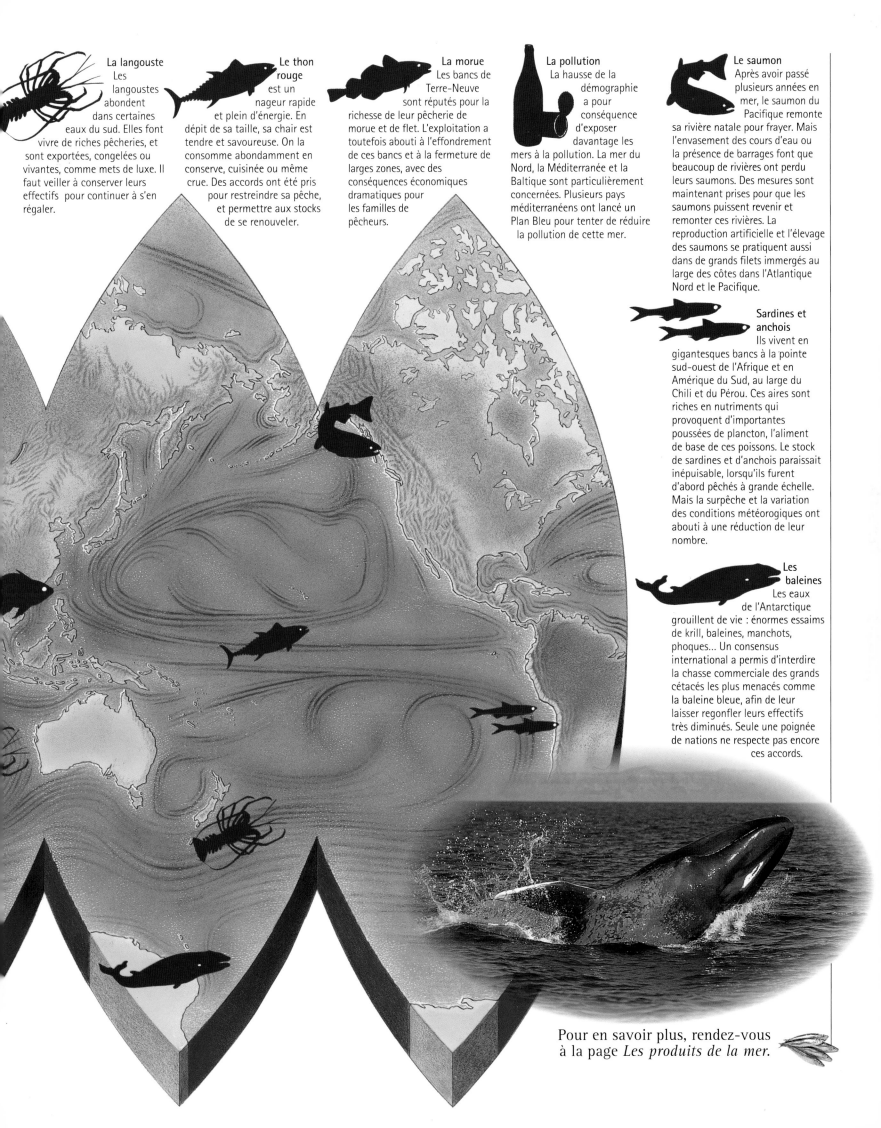

La langouste
Les langoustes abondent dans certaines eaux du sud. Elles font vivre de riches pêcheries, et sont exportées, congelées ou vivantes, comme mets de luxe. Il faut veiller à conserver leurs effectifs pour continuer à s'en régaler.

Le thon rouge
est un nageur rapide et plein d'énergie. En dépit de sa taille, sa chair est tendre et savoureuse. On la consomme abondamment en conserve, cuisinée ou même crue. Des accords ont été pris pour restreindre sa pêche, et permettre aux stocks de se renouveler.

La morue
Les bancs de Terre-Neuve sont réputés pour la richesse de leur pêcherie de morue et de flet. L'exploitation a toutefois abouti à l'effondrement de ces bancs et à la fermeture de larges zones, avec des conséquences économiques dramatiques pour les familles de pêcheurs.

La pollution
La hausse de la démographie a pour conséquence d'exposer davantage les mers à la pollution. La mer du Nord, la Méditerranée et la Baltique sont particulièrement concernées. Plusieurs pays méditerranéens ont lancé un Plan Bleu pour tenter de réduire la pollution de cette mer.

Le saumon
Après avoir passé plusieurs années en mer, le saumon du Pacifique remonte sa rivière natale pour frayer. Mais l'envasement des cours d'eau ou la présence de barrages font que beaucoup de rivières ont perdu leurs saumons. Des mesures sont maintenant prises pour que les saumons puissent revenir et remonter ces rivières. La reproduction artificielle et l'élevage des saumons se pratiquent aussi dans de grands filets immergés au large des côtes dans l'Atlantique Nord et le Pacifique.

Sardines et anchois
Ils vivent en gigantesques bancs à la pointe sud-ouest de l'Afrique et en Amérique du Sud, au large du Chili et du Pérou. Ces aires sont riches en nutriments qui provoquent d'importantes poussées de plancton, l'aliment de base de ces poissons. Le stock de sardines et d'anchois paraissait inépuisable, lorsqu'ils furent d'abord pêchés à grande échelle. Mais la surpêche et la variation des conditions météorogiques ont abouti à une réduction de leur nombre.

Les baleines
Les eaux de l'Antarctique grouillent de vie : énormes essaims de krill, baleines, manchots, phoques... Un consensus international a permis d'interdire la chasse commerciale des grands cétacés les plus menacés comme la baleine bleue, afin de leur laisser regonfler leurs effectifs très diminués. Seule une poignée de nations ne respecte pas encore ces accords.

Pour en savoir plus, rendez-vous à la page *Les produits de la mer.*

Les réalités de l'océan

Les océans occupent les deux tiers de la surface de la Terre. L'hémisphère Sud est particulièrement marin avec quatre fois plus d'eau que de terres. Avec l'aide de la technologie, nous apprenons comment les océans se sont formés, comment ils ont évolué, comment ils agissent sur le climat et combien ils sont importants pour la vie animale et végétale.

Quel est le plus grand océan du monde ?

C'est l'océan Pacifique, qui couvre 166 millions de km² et occupe 32 % de la surface terrestre. C'est aussi l'océan le plus profond du monde. Ses fonds se situent en moyenne à 4 188 m sous la surface des eaux.

Quel est l'endroit le plus profond de la mer ?

C'est la fosse des Mariannes, qui se situe près des Philippines, dans l'océan Pacifique. Cette fosse atteint la profondeur record de 10 916 m. La plus haute montagne du monde, le mont Everest, devrait s'enfoncer de 2 000 m dans la mer pour toucher le fond.

Comment les poissons survivent-ils au froid des eaux polaires ?

Certains poissons vivant en Arctique et en Antarctique ont développé dans leur organisme un antigel organique qui leur permet d'abaisser la température de congélation de leur sang.

Pourquoi la mer est-elle salée ?

La mer tire son sel de la terre. Lorsque les premiers océans se sont formés, leurs eaux ont lessivé les roches de la croûte terrestre, et ont dissous de nombreux minéraux en quantité variable.

Quels sont les grands océans de la Terre ?

Les océans Pacifique, Atlantique, Indien, Arctique et Austral sont les cinq océans de notre planète.

Quelle quantité d'eau contiennent les océans ?

Les océans contiennent 1358 dm³ d'eau.

D'où vient le mot « océan » ?

Il vient du mot grec « okeanos » qui signifie rivière. Les anciens Grecs pensaient qu'une immense rivière encerclait la Terre.

Quel est le plus fort des courants marins ?

C'est le Gulf Stream qui transporte environ 135 milliards de litres d'eau chaque seconde. Cela représente six fois et demie le volume d'eau transporté par toutes les rivières du monde.

Les océans vont-ils déborder ?

La pluie, la fonte des calottes et des glaciers et les cours d'eau alimentent continuellement l'océan. Mais il ne va pas déborder pour autant car cette eau est toujours en mouvement. Elle s'évapore au soleil et se transforme en vapeur d'eau. La vapeur se condense ensuite pour tomber en pluie ou en neige, et finir en grande partie sa course dans l'océan. La boucle est bouclée et le cycle se perpétue.

D'où la mer Morte tire-t-elle son nom ?
Cette mer est si salée qu'aucune vie ne peut s'y développer.

Quelle différence existe-t-il entre l'océan et la mer ?
Les mers sont moins profondes et moins étendues que les océans. Elles sont, au moins partiellement, entourées de terres.

Quelle est la mer qui grandit d'un centimètre par an ?
C'est la mer Rouge qui s'étend à mesure que les plaques tectoniques s'écartent, et que du plancher océanique neuf se forme.

Combien d'espèces de requins vivent dans l'océan ?
Les scientifiques ont recensé 350 espèces différentes.

Quel pourcentage de Hollandais vivent sous le niveau de la mer ?
Ils sont plus de 33 % à vivre à une altitude inférieure au niveau zéro. Les moulins à vent contrôlent la quantité d'eau atteignant les champs situés sous le niveau des mers.

Si les océans n'étaient plus alimentés en eau et si l'évaporation se poursuivait au même rythme, en combien de temps seraient-ils à sec ?
Si cela se produisait, il leur faudrait 3 000 ans pour s'assécher.

Quelle surface des fonds marins reste encore à explorer?
98 % des fonds marins restent à découvrir, mais le développement des technologies sous-marines encourage la poursuite de cette exploration.

Quelle est l'eau la plus salée de la Terre ?
La salinité de l'eau de mer avoisine 3,5 %. La mer Morte, en revanche, en contient plus de 24 %, soit sept fois plus !

Quel est le plus grand poisson ?
C'est le requin-baleine – attention, il ne s'agit pas d'un cétacé mais d'un sélacien – qui mesure plus de 15 m de long.

Quelle est la partie visible d'un iceberg ?
La partie immergée représente neuf dixièmes de l'iceberg ; on ne peut donc en voir qu'un dixième.

Quels sont les plus vieux habitants de la mer ?
Ce sont les tortues marines, qui sont apparues voilà plus de 200 millions d'années, et les cœlacanthes, des poissons qui leur sont contemporains.

Où se trouve la plus grande mer intérieure ?
Le lac Titicaca se situe au Pérou.

Quelle est la mer la plus polluée du monde ?
La Méditerranée, la Baltique et la mer Noire comptent parmi les mers les plus polluées.

Pourquoi la mer est-elle bleue ?
La lumière qui pénètre dans l'eau est en partie absorbée dans l'eau et en partie réfléchie en surface. L'eau réfléchit davantage les rayons solaires bleus et verts que les jaunes et les rouges. C'est ce qui donne à la mer sa couleur apparente.

ÉTONNANT MAIS VRAI

Certains poissons changent de sexe facilement. Le poisson ange noir et or, qui vit dans le Pacifique Sud, vit en petit groupe comprenant un mâle et jusqu'à sept femelles. Si le mâle vient à mourir, il faut une à deux semaines à la plus grande des femelles pour changer de sexe.

Glossaire

Alevin Larve de poisson qui précède le stade juvénile.

Algue Une des formes végétales les plus simples.

Antarctique Région extrêmement froide du pôle Sud, située sous le cercle polaire.

Arctique Région glacée du pôle Nord, située au-dessus du cercle polaire.

Bassin Grande cuvette dans le plancher océanique.

Bathyscaphe Engin de plongée à grande profondeur.

Bathysphère Engin de plongée en forme de sphère utilisé par les scientifiques pour étudier la vie marine.

Bathythermographe Instrument utilisé pour mesurer les températures sous-marines.

Bioluminescence Production de lumière par des organismes vivants, comme les bactéries qui vivent dans les chairs des poissons abyssaux.

Branchies L'organe qui permet à des organismes marins comme les poissons de respirer sous l'eau.

Camouflage Capacité d'un animal à se fondre dans son environnement pour échapper aux prédateurs ou attraper ses proies.

Cartographe Personne dessinant les cartes.

Combustibles fossiles Le pétrole, le charbon et le gaz naturel se sont formés à partir des restes de plantes et d'animaux et se font enfoncés profondément dans le sous-sol de la Terre. Les combustibles fossiles mettent des millions d'années à se constituer.

Courant océanique Énorme quantité d'eau se déplaçant sur de longues distances et mêlant, près de l'Équateur, des eaux chaudes à des eaux froides d'origine polaire.

Croûte Couche extérieure solide de la Terre. La croûte mesure en moyenne 40 km d'épaisseur au niveau des continents et seulement 5 km sous les océans.

Crustacé Animal comme le homard, le crabe ou la crevette, et dont le corps est enveloppé dans un squelette rigide.

Cyclone Énorme masse d'air tourbillonnant, qui se forme lorsque de l'air humide chauffé par le Soleil s'élève et est remplacé par de l'air froid. Les cyclones tropicaux sont parfois appelés ouragans ou typhons.

Dorsale Longue chaîne étroite de montagnes sous-marines qui se sont formées lors de l'écartement de deux plaques, et au niveau desquelles la lave s'épanche pour former un nouveau plancher océanique.

Drague fermante Instrument utilisé pour prélever des échantillons de sédiments sur les fonds marins. L'analyse des échantillons aide les géologues à comprendre comment le paysage sous-marin s'est modelé.

Échelle de Beaufort Utilisée pour indiquer la force du vent marin. Porte le nom de Francis Beaufort, un amiral britannique.

Estuaire Embouchure des fleuves. Leurs courants y subissent les effets des marées de l'océan.

Évent Orifice situé au sommet de la tête des cétacés (au nombre d'un ou de deux), leur permettant de respirer.

Fosse Longue vallée étroite sous la mer qui rassemble les points les plus profonds de la Terre.

Fumeurs noirs Cheminées minérales situées sur les fonds marins. Elles émettent des eaux chaudes et des fumées riches en soufre, élément de base d'une chaîne alimentaire spécifique.

Guyot Volcan sous-marin à sommet plat.

Gyre Une des cinq boucles géantes d'eau en mouvement, engendrées par le vent. Elles tournent dans le sens des aiguilles d'une montre dans l'hémisphère Nord où elles sont deux, et en sens inverse dans l'hémisphère Sud qui en possède trois.

Iceberg Grand morceau de glace flottant, arraché à un glacier et dérivant dans la mer.

Invertébré Animal dépourvu de colonne vertébrale, comme les mollusques.

Krill Crustacé voisin des crevettes, qui vit en grand nombre dans les eaux polaires.

Marée Montée et descente répétitives des mers, dues à l'attraction qu'exercent la Lune et le Soleil sur la Terre, et donc sur l'eau.

Marée de morte-eau Marée d'amplitude minimale se produisant lorsque le Soleil et la Lune forment un angle droit avec la Terre.

Marée de vive-eau Marée d'amplitude maximale qui se produit lorsque la Lune et le Soleil sont alignés avec la Terre.

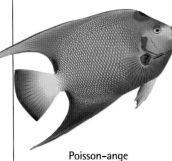

Coquille Saint-Jacques

Poisson-ange

Submersible

Manchot empereur

Queue de marlin noir

62

Mer Grande étendue d'eau salée bordée partiellement ou complètement de terres.

Migration Oiseaux, poissons et autres quittent leur habitat à certaines périodes de l'année pour entreprendre un voyage afin de trouver de la nourriture, de s'accoupler ou de donner naissance à leurs petits.

Minerai Matériau présent à l'état naturel dans le sous-sol et exploité par extraction.

Mollusque Animal, comme l'escargot, le calamar ou la pieuvre, sans colonne vertébrale mais dont le corps mou peut être partiellement ou complètement abrité dans un coquillage.

Nageoire dorsale Nageoire située sur le dos des poissons, les aidant à garder leur équilibre lors de leurs déplacements dans l'eau.

Navigation Discipline ayant trait au pilotage des bateaux et des avions.

Océan Mer de grande dimension.

Océanographe Scientifique étudiant les sciences de l'océan.

Océanographie Sciences de la vie marine et de la structure des océans.

Pente continentale Talus en pente douce situé près des côtes, qui forme les parois du bassin.

Photophores Organes capable de produire de la lumière, présents chez certains animaux et en particulier les poissons abyssaux.

Phytoplancton Plancton végétal.

Pillow lava Coussins de lave partiellement (ou totalement) refroidie, formés lors des remontées de magma au niveau des dorsales. Ils font partie du plancher océanique nouvellement formé.

Plaine abyssale Vaste territoire sous-marin plat et stérile (à quelques exceptions près) qui s'étend de la dorsale médio-océanique à la bordure immergée du continent.

Plancher océanique C'est ainsi qu'on désigne souvent le fond de l'océan.

Plancton Animaux et végétaux, la plupart du temps de taille microscopique, dérivant au gré des courants dans les eaux superficielles. Maillon fondamental de la chaîne alimentaire marine.

Plaques lithosphériques Surfaces rigides extérieures de la Terre qui se déplacent les unes par rapport aux autres, englobant la croûte et la partie supérieure du manteau de la Terre.

Plateau continental Extension sous-marine des continents, située à faible profondeur.

Polype de corail Animal en forme de tube, dont le corps mou est surmonté d'une couronne de tentacules. Plus de quatre cents espèces de corail vivent en colonies dans les océans.

Prédateur Animal qui chasse d'autres animaux pour se nourrir.

Récif corallien Structure faite du squelette des colonies de polypes qui vivent dans les eaux chaudes.

Réserves marines Zones où vivent des espèces en danger, où la faune et la flore sont protégées et où l'environnement marin est préservé.

Sédiment Matière minérale ou organique qui contient des millions de petits restes d'animaux et de végétaux, qui tombe et s'accumule au fond des mers. La couche de sédiments qui tapisse le plancher océanique peut atteindre 300 à 500 m d'épaisseur.

Submersible Sous-marin de poche capable d'atteindre entre 3 000 et 6 500 m de profondeur. Il descend moins loin qu'un bathyscaphe mais est beaucoup plus mobile sur le fond. Il possède généralement des bras radiocommandés qui lui permettent de faire des prélèvements.

Tentacule Bras mince, long et flexible qui permet à certains animaux non pourvus de squelette interne de saisir des choses. Ceux des calamars sont couverts de ventouses.

Tourbillon Masse d'eau qui tournoie et qui peut être engendrée par l'affrontement entre la marée et des courants opposés.

Trombe Colonne d'eau ou d'air tourbillonnant mue par un vent violent, et qui peut se déplacer sur plusieurs kilomètres. Elle se forme lorsqu'une masse d'air chaud et humide s'élève et rencontre de l'air froid et sec.

Tsunami Gigantesque raz-de-marée provoqué soit par un tremblement de terre, soit par une éruption volcanique.

Vaisseau mère Bateau qui assure l'assistance requise par de petits vaisseaux comme les submersibles.

Venin Substance empoisonnée injectée par piqûre ou morsure.

Volcans sous-marins Certains peuvent émerger partiellement de l'eau. Ils forment alors des îles volcaniques.

Zooplancton Plancton animal généralement de taille microscopique, à l'exception des méduses.

Calamar géant

Coquille de nautile

Œufs d'argonaute

Doublons espagnols

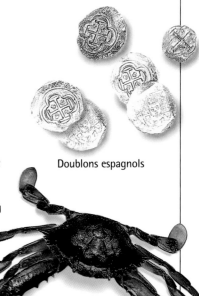

Crabe nageur

Index

CRÉDITS PHOTOGRAPHIQUES

(h = haut, b = bas, g = gauche, d = droit, c = centre, i = icône, c = couverture, D= dos, F = fond)

Ad-Libitum, 4c, 13cd, 42hg, 50-51, 50bg, 50cg, 50hg, 56i, 57h, 57c&d, 58i, 60c, 60h, 62h, 63hc (S. Bowey). Auscape, 58bg (K. Deacon) 48bg, 57hg (J.P. Ferrero) 59bd (F. Gohier) 17cd (C. A. Henley) 18bc, 21hg, 63c (D. Parer & E. Parer-Cook) 23cg (M. Tinsley) 20-21 (A. Ziebell). Austral International, 40cg (R. Parry/Rex Features). Australian Museum, 4i, 5i, 6i, 8i, 10i, 12i, 14i, 16i, 18i, 22i, 26i, 28i, 30i, 32i, 44i, 46i, 48i, 51i (H. Pinelli). Australian National Maritime Museum Picture Library, 8bd (S. Bowey/Ad-Libitum) 4hg, 39hg, 34bc, 34bg. Australian Picture Library, 19cd (Volvox) 61d (L. Weier) 61bg (L.&I. Weier). Bill Bachman, 60-61. Esther Beaton, 54hd, 55bc, 55g, 55hg. Bettmann Archive, 38cd (UPI). Biofotos, 49bg (H. Angel) 62hc (I. Took). Bruce Coleman Ltd, 54bg (A. Compost) 24bd (F. J. Erize) 27bg (I. Everson) 49c (J. Foott) 21bd, 21g (C.&S. Hood) 20-21b, 21hg (J. Murray) 24c, 62bc (H. Reinhard) 16-17c, 17h (F. Sauer) 20hg (N. Sefton) 15cg (K. Taylor) 54g (J. Topham) 20bc (B. Wood). James Cook University, 9 (D. Johnson). Kevin Deacon, 23hg (Dive 2000). DJC & Associates, 57bd (D. J. Cox). Mary Evans Picture Library, 11hg (Photo Researchers Inc) 31cg (NASA/SPL). Granger Collection, New York, 5i, 34i, 35i, 38i, 40i, 42i, 45bd, 47b, 50i, 52i, 54i. Greenpeace, 55bd (Beltra) 55b (Midgley). Richard Herrmann, 17b

& bd. Ifremer, 33hd. Images Unlimited, 40hd (A. Giddings) 8hg (C. Nicklin). Minden Pictures, 35bd (J. Brandenberg) 51bd, 54-55, 56, 57cg (F. Lanting) 16cg (F. Nicklin). Natural History Photographic Agency, 28hg (Agence Nature) 45bc, 49hg (G. I. Bernard) 58cg (B. Jones & M. Shimlock) 21cd (B. Wood). Oxford Scientific Films, 7bc (A. Atkinson) 22-23b (G. I. Bernard) 21bc (L. Gould) 16h, 22cg, 23cd (H. Hall) 20h (M. Hall) 24cg (B. Osborne) 26bd, 28hd (P. Parks) 22bg (D. Shale) 26bg, 26cd (H. Taylor Abipp) 23hd (K. Westerskov). The Photo Library, Sydney, 52hg (H. Frieder Michler/SPL) 47d (D. Hardy/ SPL) 27cd (NASA/SPL) 3 (J. Sanford/SPL) 6cd, 11bg, 11cg (SPL) 55cd (V. Vick). Photo Researchers Inc, 8bg (J. R. Factor) 6bd (NASA/SPL) 53d (G. Whiteley). Planet Earth Pictures, 20c (G. Bell) 55c (M. Conlin) 28d, 29cd, 29d, 29hg, 31c, 31hd (P. David) 8bd (R. Hessler) 54g (C. Howes) 29c (K. Lucas) 16h (J. Lythgoe) 29cd (L. Madin) 25bg (R. Matthews) 40hg, 62c (D. Perrine) 24hd (P. Sayers) 8c (F. Schulke) 20bg (P. Scoones) 57bg (W. Williams) 23bd (A. Kerstitch) 22h (K. Lucas) 22cd (P. Scoones). Queensland Museum, 36h, 36hg (G. Cranitch). Jeffrey L. Rotman, 35hg, 35hd, 50hd, 63bc. Science Museum, London, 34g (Science & Society Picture Library). Scripps Institution of Oceanography, University of California, San Diego, 43hd. Marty Snyderman, 53bg. State Library of New South Wales, Image Library, 34bg, 39b, 39hd, 39d, 39hd. Survival Anglia, 15hd (J. Foott). Woods Hole Oceanographic Institution, 42 bd, 43hg. Norbert Wu, 23c, 29bc, 29bd, 29hd, 55d.

ILLUSTRATIONS

Graham Back, 22-23. Greg Bridges, 46-47. Simone End, 4bg, 4-5hc, 31bc, 57bc, 63hd. Christer Eriksson, 2-3, 4-5bc, 6hg, 12-13, 16-17, 24-25, 44-45. Mike Golding, 18bg. Mike Gorman, 58-59. Richard Hook, 34/39. David Kirshner, 5bd, 15hd, 18-19bc, 26bd, 28bg, 28bd, 29bg, 30-31, 62bg. Alex Lavroff, 11bd, 19bd, 40bg. Colin Newman, 5hd, 14-15. Oliver Rennert, 6-7, 6bg, 8-9, 40-41. Ken Rinkel, 41d. Trevor Ruth, 4hg, 10-11, 11hd, 32-33, 48-49. Rod Scott, 18-19, 26-27. Steve Seymour, 42-43, 52-53. Ray Sim, 12bg, 13hg, 13hd, 51hd. Kevin Stead, 35-38. Rod Westblade, pages de garde.

COUVERTURE

Ad-Libitum, BCtl, FCtr (S. Bowey). Auscape, D (L. Newman & A. Flowers). Biofotos, FCtl (I. Took). Bruce Coleman Ltd, FCbc, FCbr (C. & S. Hood) FCbl, FCr (J. Murray). Natural History Photographic Agency, FCr (B. Wood). Oxford Scientific Films, FCbc (L. Gould).